Coherence & atmosphere.
Insignificant.
Sidemarks

no me gusta a
historias de Vi

D0547592

ráfagas : Rene / Franca
p 123 Lilly
Paulina

Clarisse 41 +59 Sister Suzanne
p79 Florence

BURDEOS

LITERATURA / CONTEMPORÁNEOS

ESPASA CALPE

SOLEDAD PUÉRTOLAS

BURDEOS

Prólogo
Enrique Vila-Matas

COLECCIÓN AUSTRAL
ESPASA CALPE

COLECCIÓN AUSTRAL
PENSAMIENTO/CONTEMPORÁNEOS

Asesor: Víctor García de la Concha

Director Editorial: Javier de Juan
Editora: Celia Torroja

—

Maqueta de cubierta: Toño Rodríguez/INDIGO, S. C.
Ilustración portada: Playa de San Sebastián,
de Darío Regoyos (detalle).
Casón del Buen Retiro, Madrid. Foto Oronoz

—

Depósito legal: M. 37.611—1992

ISBN 84—239—7301—8

Impreso en España
Printed in Spain

Talleres gráficos de la Editorial Espasa-Calpe, S. A.
Carretera de Irún, km. 12,200. 28049 Madrid

ÍNDICE

BURDEOS

PRÓLOGO

SOLEDAD ES COMO NOSOTROS

Por lo general los escritores principiantes, cuando empiezan a publicar, abren un archivo con recortes de sus críticas, y una carpeta por si alguien les pide fotos. Pero yo en esos días —hablo de una temporada en la que, tras publicar un libro, más bien estaba ocioso pero también bullicioso— me dediqué a todo tipo de archivos, excepto a los míos. Y es que, todavía no sabría decir muy bien por qué, me olvidé hasta de mi sombra y, en una de mis tantas actividades perversas de ocioso, abrí una carpeta de color rojo oscuro sobre Soledad Puértolas, a la que tan sólo conocía por un libro de relatos y su novela —recién leída— BURDEOS y de quien de su vida personal tan sólo sabía —algo fugazmente entrevisto en televisión— que vivía en una casa de dos pisos, como la pobre Pauline del primer capítulo de su novela.

A veces pienso que en este caso actué como si creyera que tiempo después y en una noche de invierno un viajero podía llamar a mi puerta para ofrecerme prologar la admirable BURDEOS y resultarme entonces más útil tener documentación sobre Puértolas que sobre mi persona. Sea por lo que fuera, lo cierto es que me veo una tarde de domingo introduciendo en una carpeta de color rojo oscuro —etiqueta Puértolas— la fotocopia de un artículo que la escritora había publicado aquel día en un discreto suplemento dominical. El artículo también era discreto, parecía secundario, escrito con cierto apresuramiento, tal vez con deliberado descuido. Se titulaba «Cae la tarde», y su condición de posible obra menor me excitó sobremanera, me fascinó desde las primeras líneas: «Desde hace más o menos una docena de años paso casi diariamente junto a la gasolinera de Pozuelo Estación y nunca puedo evitar mirar el reloj que, detenido *desde siempre* a las 4.06 (¿de la tarde? ¿de la madrugada?), queda suspendido en lo alto, para que los conductores y los viandantes podamos consultarlo cómodamente...»

El subrayado del *desde siempre* es mío. Lo es porque quedaron en mí extrañamente grabadas esas dos palabras referidas al reloj, sobre todo por gozar de una inesperada familiaridad conmigo —como si pertenecieran a una de esas situaciones que nos parecen ya vividas antes— y por tanto de una misteriosa autonomía en el contexto de un artículo del que yo me decía que, salvo su archivador, hasta Puértolas no tardaría en olvidar. Obra menor, artículo publicado en un discreto suplemento, texto secundario. Entró con la rapidez de un rayo en la carpeta. Nada me gusta más (me dije) que conceder importancia, como también hace Puértolas, a lo que en apariencia es insignificante, esas cosas que apenas tienen valor porque transcurren en un segundo plano; un gesto, por ejemplo, o una forma de mirar, un artículo perdido en un dominical de mala muerte, todo lo que hemos convertido en cosas secundarias pero que pueden ser de repente el soporte de la vida. ¿Y si el artículo sobre el reloj sabio de Pozuelo —seguí diciéndome— contiene la esencia misma de toda la literatura de Puértolas? Después de todo la recordaba a ella en el programa de televisión, en el jardín de la casa, diciendo que los cuentos de hoy nacen de la misma necesidad que Shahrazad: detener el tiempo, suspender la sentencia. El reloj de Pozuelo Estación también parecía tener necesidad de parar el tiempo. Desde siempre.

Sin yo pretenderlo, abrir aquella carpeta me convirtió en un detective privado. Una tarde que recordaba a muchas de esas que aparecen en BURDEOS —llena del eco de voces, de risas, de polvo y de calor, de trajes ligeros y de toda la belleza que rodea las ilusiones—, averigüé que nada más casarse Puértolas pasó ocho meses en una pequeña ciudad de Noruega. Esta información —que yo recibí con alegría sin cuento— la facilitaba la propia escritora en las páginas de opinión de un periódico influyente. El artículo se titulaba «La corriente del golfo», y en él su autora no opinaba sobre nada —si acaso tímidamente sobre el clima noruego—, lo que convertía en más sorprendente que apareciera en aquellas sesudas páginas que siempre fueron feudo de sociólogos y políticos aburridos. Y es que en realidad «La corriente del golfo» era un relato, una bellísima *tranche de vie* que se había infiltrado con el mayor desparpajo en las columnas de opinión del periódico influyente: «Nada más casarme pasé ocho meses en una pequeña ciudad de Noruega. Algunas noches de invierno la temperatura bajaba a los veinte grados bajo cero, pero en el interior, a unos kilómetros de nuestra ciudad, el termómetro se ponía fácilmente en los cuarenta bajo cero una noche sí y otra no, de forma que nuestros convecinos se consideraban privilegiados, y cuando nos quejábamos negaban con la cabeza y trataban de sacarnos de nuestro error: "Nuestra costa es bañada por la corriente del golfo", decían, como si eso fuese razón de peso. No veíamos la corriente del golfo y no podíamos imaginar un frío superior al que estábamos pasando...»

Se trata, en mi opinión, de uno de los mejores relatos que he leído en mi vida [1], y no lo digo deslumbrado todavía por la sorpresa de habérmelo encontrado infiltrado entre los aburridos artículos de opinión de aquel periódico, sino por su condición de cuento innovador en su original y atractiva mezcla de autobiografía y ficción, en su audaz mezcla de verdad y mentira íntimamente entrelazadas hasta desembocar en el enigmático final: «La casa se perdió de vista. Las Olimpiadas de México. Aquel drama familiar. Mis veintidós años.»

¿De qué drama familiar podía tratarse?, se preguntó el detec-

---

[1] Puede leerse en *Lucanor*, revista del cuento literario, núm. 6, Pamplona, 1991.

tive que había nacido en mí. Recuerdo que me lo pregunté mientras observaba cómo entraba con la rapidez del rayo el artículo en la carpeta. En los días que siguieron, cada vez más identificado con mi papel de escrutador implacable de vidas ajenas, hice investigaciones sobre el drama familiar y no conseguí averiguar nada de nada. (Hoy pienso que algunas manifestaciones oblicuas del drama aparecen en la que fue su siguiente novela, *Todos mienten.)* Sí en cambio descubrí, sin demasiada sorpresa, que Puértolas apenas conocía la ciudad de Burdeos cuando escribió el libro. En un periódico barcelonés, en declaraciones a una escritora argentina, le explicaba que, cuando era pequeña, una de las pasiones de su padre era pisar Francia y que esa pequeña obsesión siempre resultaba a toda la familia muy sugestiva y misteriosa teniendo en cuenta el régimen político que azotaba el país. Y añadía: «Hicimos varios viajes de esos, pero siempre al sur de Francia. El sitio más nórdico al que llegamos fue Burdeos. Yo sé que dormí una noche en Burdeos, pero no recuerdo absolutamente nada de la ciudad. Existe una foto, en la que estoy con mi madre en el balcón del hotel, pero yo no recuerdo absolutamente nada. Sólo tengo el recuerdo de la sensación de haber dormido allí.»

Y yo me dije: Esa es una manera de haber estado *desde siempre* en esa ciudad, el sitio más nórdico al que llegó con su padre; con el marido le esperaba la corriente del golfo en un lugar mucho más nórdico y del que sí guardaría recuerdo. Una indiscreción de unos vecinos de mesa en el Chicote de Madrid vino a ampliar mis conocimientos de la relación física entre Puértolas y Burdeos. En síntesis lo que oyó el detective que había nacido en mí fue que, cuando BURDEOS estaba más que adelantada, la autora tuvo por fin la ocasión de visitar Burdeos y, antes de nada, darse un paseo por el «barrio tranquilo» en que había situado la casa de Pauline y el núcleo del primer tramo de la novela. De vuelta al hotel, mientras cruzaba el parque «frente al Museo de Ciencias Naturales», se volvió hacia quien la acompañaba y, sacudiendo la barbilla afirmativamente, anunció en tono resuelto: «Tengo que quitarle color local.»

Esta anécdota hablaba, para mí, de la típica tensión que se afloja cuando un libro entra en su recta final y comprendemos que ya sólo será lo que de él hemos podido imaginar, nunca otra cosa, aunque esa otra cosa exista en alguna parte, tenga una existencia real. O, por decirlo de otra forma, Burdeos ya era de Puértolas y Puértolas no era de Burdeos. Por eso esa ciudad aparece en la novela como detrás de una lámina de agua y por eso, como me comentó una amiga, los personajes son psicológicamente sólidos, pero circulan por un Burdeos que parece alejarse de ellos. La ciudad no los hiere ni los encierra, pero tiende a «retirarse». La ciudad es antigua y sólida, y está allí, pero siempre a punto de alejarse. La novela acoge tan sólo láminas de vida, y en este sentido nada tiene que ver con una narración decimonónica. Puértolas, a diferencia de los escritores del siglo pasado —y de tantos de la llamada nueva narrativa española—, parece saber que el mundo no puede abarcarse en una narración, ni tan siquiera un mundo pequeño o distante. El mundo de hoy es complejo y muchas veces no tiene apenas silógicos. Los silógicos son un añadido humano para agrupar elementos que no poseen entre sí ninguna relación. Y se nota mucho que Puértolas —a partir de ahora llamada Soledad, justo en el instante en que atravesamos el ecuador de estas líneas— no desea unir a través de silógicos. Prefiere, pues, fracturas, astillas de historias, fisuras.

El conocimiento actual es más fragmentado, más frágil y, por tanto, posiblemente el cuento, el relato, se adapten mejor a él. De ahí que la novela de Soledad esté construida —al estilo de la peculiar estructura de *Vidas de los poetas* de Doctorow, por ejemplo— por materiales literarios que no son los de la novela. De ahí que BURDEOS sea el compendio de muchas historias, como un humilde mosaico. Y si digo humilde lo digo con todas sus consecuencias, aunque no ignoro que las trampas del conocimiento son innumerables y que eso explicaría que, a medida que numerosos documentos y fichas o anotaciones en torno a BURDEOS iban ingresando en mi carpeta, mi conocimiento del libro y de la autora investigada se fuera confundiendo con esa Burdeos que en la novela está ahí *desde siempre* y tras una lámina de agua, pero también siempre a punto de alejarse para paradójicamente aproximarse a nuestra realidad más inmediata. Quien ha leído BURDEOS tiene derecho a pensar que ha pasado una noche en Zaragoza, por ejemplo, y no guardar, por otra parte, el más mínimo recuerdo de ese lugar: Historia de dos ciudades, en definitiva. O dos semanas en otra ciudad, como se prefiera. Siempre estaremos Entre-Dos-Mares, como en el segundo tramo de la novela.

Ya digo, trampas del conocimiento. No se puede estudiar a alguien como yo lo hice y no dejar tus sucias huellas de detective. Porque la verdad es que mi investigación sobre Soledad y Burdeos condujo a la destrucción no deseada del objeto estudiado convirtiéndole —algo, por otra parte, perfectamente coherente si conocemos el carácter astillado del libro— en un simple vivero de fragmentos que, refugiados en forma de fichas y anotaciones dentro de mi carpeta color burdeos, componían el material suficiente para un futuro diccionario de bolsillo en torno a la novela en cuestión. Es decir, que mi acercamiento y estudio del libro me condujo a convertirlo en un fichero con vistas a un futuro diccionario portátil, y por tanto a fragmentar BURDEOS más de lo fragmentada que de por sí ya estaba la novela.

Y es que el hombre no puede dejar intacto lo que investiga o estudia. Lichtenberg es el que elaboró la mejor parábola sobre el conocimiento, sobre lo que un investigador —detective privado en nuestros tiempos— puede llegar a saber del objeto, persona o libro estudiado. Una de sus visiones oníricas[2] sigue constituyendo hoy en día la más enérgica y lúcida parábola sobre el conocimiento: un anciano que habla en la voz impositiva de las deidades, le entrega un objeto y pide que lo estudie «químicamente». Lichtenberg trabaja con entusiasmo hasta advertir que sus experimentos destruyen el objeto. El anciano regresa con una noticia alarmante: le había confiado el mundo entero; las cordilleras, los océanos, las naciones se han vuelto polvo entre sus dedos. El sueño revela los límites del proceso cognoscitivo: el hombre no puede

---

[2] *Un sueño*, Georg Christoph Lichtenberg, Revista Biblioteca de México, Traducción de Juan Villoro, núm. 10, julio-agosto, México, 1992.

dejar intacto lo que estudia. No podemos borrar nuestras huellas.

Como los personajes de BURDEOS que, cuanto más parece que se acercan a otros personajes y que van a conocerlos, más se alejan de los mismos, a mí me sucedió lo mismo con mis intentos de conocer esa novela. Si, como en el caso de Lichtenberg, buscar la lección de la naturaleza equivale a modificarla, en el de mi aproximación y estudio de BURDEOS buscar la lección del libro me llevó a desmenuzarlo, modificarlo, astillarlo en forma de diccionario de bolsillo —un sinfín de fichas— que guardo en mi carpeta.

Hoy sueño que no puedo borrar mis huellas de ese libro. Y si una noche de invierno un viajero llamara a mi puerta para ofrecerme escribir un prólogo a BURDEOS, sería como si *desde siempre* hubiera estado sospechando que esa visita se produciría algún día. «Lo tengo ya hecho —le diría—, desde siempre supe que algún día me sería reclamado.» Eso le diría al viajero de invierno al tiempo que le invitaría a quitarse el abrigo y entrar en casa donde, poco tiempo después y junto al fuego del hogar, le preguntaría si deseaba dar un primer vistazo a los fragmentos que, a modo de breve diccionario de bolsillo en torno al libro de Soledad, podrían estar componiendo la más adecuada introducción a una novela como BURDEOS, también ella tan fragmentaria con sus tres capítulos con protagonistas independientes (Pauline, René, Lilly), si bien enlazados por personajes secundarios y por el punto de referencia del desteñido color local de la ciudad francesa.

«Una novela tan fragmentada como la de Soledad exige un prólogo que también lo sea», le diría, y él no sabría que me estaría excusando de haber astillado la novela en mi intento de conocerla. En ese momento, como sucede en tantos relatos invernales, temblaría la claridad de un relámpago y se oiría un trueno; golpearía entonces el viento contra los cristales, y ya no sabríamos si golpeaba fuera o en el interior de la casa. «Prosigamos», diría yo imperturbable. E iría en busca de mi carpeta de color rojo oscuro, y poco después aparecería, elegida al azar, la primera ficha sobre el libro. Esta primera nota de archivo podría titularse, por ejemplo, *Argumento*. En ella yo tengo escrito: El libro lo componen tres capítulos independientes, aunque sutilmente entrelazados por algunos personajes secundarios. A veces se diría que los personajes principales parecen buscarse entre ellos. Pero nunca se encuentran. Pauline, una vieja dama algo asustada, introduce a Hélène Dufour, madre del protagonista de la segunda historia, René, quien, a su vez, reabre la posibilidad de que aparezca nuevamente Hélène, cuya sombra o perfil remite a Lilly, una americana hijastra suya que da vueltas por Europa como una sonámbula y que, cuando parece que va a tropezarse con René, no se encuentra con él y parte en un tren hacia la niebla de otras estaciones: Roma, Como, Venecia...

«¿Qué más fichas hay por ahí?», quiero pensar que preguntaría el viajero de invierno. Le mostraría entonces, por ejemplo, la ficha *Ausencia,* donde tengo anotado: ¿Es realmente importante lo importante? En las historias de Soledad no aparece y no porque la condición de lo precioso sea estar escondido, sino simplemente porque lo que se encuentra en segundo plano atrae mucho más a la narradora que parece acordarse de un verso de Hölderlin: «¿Qué podemos amar que no sea una sombra?»

Otra ficha la encabeza la palabra *Clima,* y en ella puede leerse: Casi siempre cae la tarde y es otoño y los personajes son sombras que se mueven sin encontrarse; los días son casi siempre fríos y grises, días de otoño algo ventosos. «Más fichas de ese diccionario de bolsillo», quiero pensar que exigiría el visitante. Caería entonces sobre la mesa *Reto,* una bella ficha ilustrada por unas palabras de Soledad cazadas al azar durante los días de mi fiera investigación: «Ha sido un reto BURDEOS, porque aunque no lo parezca, fue un ejercicio agotador, arduo, casi desesperante. Había que enfocarlo desde la tercera persona sin perder la dimensión personal, la perspectiva de la primera persona deslindando diversas historias, no una historia maestra diseminada, sino múltiples puntos de vista; no un personaje sino muchos personajes. Crear, en suma, la discontinuidad, de nuevo ese fluir inconstante que sentimos en la vida, esos vacíos, esas personas que desaparecen y vuelven en otras voces y otros gestos...»

Pero al viajero de invierno no le contaría el final del prólogo, tan parecido al de BURDEOS. Nada le diría del paralelismo entre la historia de búsquedas y desencuentros que había generado mi carpeta y la historia de afectos y abandonos que acoge suavemente la novela. Hace un tiempo, me llegó una invitación para una mesa redonda en Milán en la que se me anunciaba que participaría Soledad. Consulté de inmediato a Fernández Cubas, mi amiga Cristina. Le pregunté cómo era Soledad, sabiendo que ellas dos eran amigas. En el momento de formular esa pregunta creo que formamos Cristina, Soledad y yo un triángulo que evocaba las andanzas de Pauline, Lilly y René. La Pauline que había en Cristina le dijo al René que era yo: «Soledad es como nosotros. En cuanto la veas te parecerá que la conoces desde siempre.» Y entonces me llegó, como en los días en que abrí la carpeta, la sensación de estar en una de esas situaciones que nos parecen ya vividas antes. Esa impresión continuó la tarde fría y ventosa de otoño en que conocí a Soledad en Milán. Una hora antes de aparecer en público, tomamos el mismo suave calmante los dos, de modo que, sin estar previsto, ofrecimos un mismo registro de voz en público, el mismo tono unitario de serenidad, tristeza y melancolía en el fondo feliz. Soledad leyó uno de sus poemas preferidos, que casualmente es también uno de mis favoritos. Recitó aquellos versos de Pessoa viajando en su Chevrolet prestado: «Al volante del Chevrolet por la carretera de Sintra / a la luz de la luna y al sueño, en la carretera desierta / conduzco solo, conduzco casi despacio, y un poco / me parece, o me fuerzo un poco para que me parezca / que voy por otra carretera, por otro sueño, por otro mundo / (...) Voy a pasar la noche a Sintra porque no puedo pasarla en Lisboa / pero, cuando llegue a Sintra, me dará pena no haberme quedado en Lisboa...»

Al día siguiente, en tren —que no en Chevrolet prestado— viajamos con otros amigos a la ciudad de Como, lejana y sola, una de las ciudades que Lilly visitaba buscando a René sin saberlo. Ya en el lago de Como viajamos en barco hasta la seductora Bellagio, y yo silencié en todo momento la agitada existencia de mi carpeta. Sabía que Lilly ya había estado en

Como, pero tampoco dije nada, y al día siguiente regresamos a España. Italia se perdió de vista. Las Olimpiadas de Barcelona. Aquel viaje posterior de Soledad a mi ciudad. Mis cuarenta y cuatro años.

Pasó Soledad por Barcelona y buscó a Cristina. Lilly me llamó, pero no era fácil encontrarse. Días después recibí una tarjeta que sólo la autora de BURDEOS podía haber redactado: «... Gracias por las fotografías de Bellagio, tan borrosas (...) En Barcelona te llamé para comer juntos o vernos un rato, pero andabas deambulando en tu Chevrolet prestado.» La tarjeta era de un profundo color rojo oscuro, llena de luz, de sombras y matices.

ENRIQUE VILA-MATAS.

BURDEOS

A Leopoldo Pita

PAULINE

1

Pauline Duvivier vivía en un barrio tranquilo, de casas de dos pisos, apartado del centro de la ciudad. Vivía sola, de lo cual a veces se lamentaba pero, dado que cualquier alternativa le hubiera producido mayor inquietud, trataba de acomodarse a la soledad.

A la casa acudía diariamente una mujer para hacer la limpieza y la comida. Mientras Madeleine estaba en la casa, Pauline permanecía en su cuarto, situado en el segundo piso, y escribía cartas. Cuando Madeleine se marchaba, Pauline abandonaba su habitación y se instalaba en el cuarto de estar, escuchaba la radio y realizaba alguna labor. Antes del anochecer salía al pequeño jardín posterior y regaba sus plantas. Algunas tardes, recorría la calle con la excusa de hacer un recado, pues la compra de la comida la hacía regularmente Madeleine. Cuando hacía buen tiempo, se encaminaba hacia el parque, se sentaba en un banco, frente al Museo de Ciencias Naturales, y veía desfilar a la gente ante sus ojos.

Esas dos partes del día eran igualmente valiosas para Pauline. Necesitaba la presencia de Madeleine en la casa para permanecer en su cuarto y necesitaba la marcha de la criada para moverse por ella con libertad.

No había sido fácil para Pauline organizar esta rutina. La había construido con esfuerzo, luchando con sus recuerdos. Cuando su padre, Marcel Duvivier, murió, Pauline se vio sorprendida por la soledad. Estaba acostumbrada a su silenciosa compañía, al ritmo de vida que ambos habían establecido desde la muerte de Agnes. Mientras vivió su padre, todo el dolor causado por la desaparición de su madre parecía poder sobrellevarse. Sin él, Pauline se quedó sola en el mundo. Era ya una mujer mayor. No había construido una familia. Nada quedaría tras ella. La nostalgia de lo que había tenido le acometió con inesperada violencia. Se veía a sí misma en compañía de su padre en el cotidiano paseo hacia los muelles antes de la cena. Evocaba las tardes cálidas en los merenderos del Garona, cuando su padre hablaba con inusitado interés y confianza con los propietarios de las tabernas y, sobre todo, el regreso al atardecer, cuando la ciudad se iba hundiendo en la noche y las farolas iluminaban débilmente las calles. Se cruzaban con grupos de personas, con parejas, que también daban por terminada su jornada de recreo. Aquel regreso estaba lleno de melancolía. ¿Acaso no sabían los dos que sus vidas se apagaban como la tarde que acababa de finalizar?

Allí seguía la biblioteca, en el cuarto contiguo, donde su padre había pasado tantas horas de su vida. En cuanto volvía de las oficinas del Crédito Internacional, se encerraba en ella. A media tarde, venían las visitas, los amigos con quienes hablaba durante horas. Pauline escuchaba el rumor de sus voces cuando la criada traspasaba el umbral de la puerta para llevarles café y esporádicos ruidos de pasos en dirección al cuarto de baño. Cuando los amigos se marchaban, su padre aparecía en el cuarto de estar: era la señal de que estaba dispuesto para el paseo. De regreso, volvía a la biblioteca. Apenas dormía. Devoraba libros. Releía a los que consideraba sus maestros. Al final, únicamente leía a Montaigne, admirándose en cada frase de coincidir tan profundamente con él, descubriendo en cada pensamiento una similitud que con anterioridad le había pasado inadvertida. Si Pauline entraba en la biblioteca, él le leía un párrafo en voz alta. Lo leía varias veces, porque sabía que a Pauline le costaba concentrar su atención. Era cierto: habían sido tantas las frases que su padre le había leído que sólo se fijaba en el tono, en la expresión de su rostro al leerlas.

Toda aquella rutina —las costumbres fijas, los pequeños cambios que introducía el paso de las estaciones— cobró, a los ojos de Pauline, un valor incalculable. Mientras se había dedicado a sostenerla, su cabeza había vagado lejos. Se había esforzado por atender a su padre y el mismo esfuerzo le había mantenido ocupada. Se había creído en posesión de otros pensamientos, de una vida a la que había renunciado. La muerte de su padre la dejó a solas con ella y añoró entonces no haber sabido que aquella vida era, tal vez, la que hubiera escogido.

2

A media mañana, se escucharon unos gritos en el primer piso. Pauline bajó las escaleras y encontró a Madeleine en la cocina. Tenía un ojo hinchado y enrojecido. Una chica a quien Pauline no conocía lanzaba exclamaciones de asombro e indignación. Al ver a Pauline, las dos se volvieron hacia ella.

—Venga, venga, señorita Duvivier —dijo la chica—. Mire lo que ha hecho ese bestia de François.

Pauline examinó el ojo de Madeleine.

—Debería verla un médico. ¿Qué es lo que ha pasado?

—Ha sido François —volvió a decir la chica—. Voy a aplicarle una compresa.

—¿Quiere decir que le ha pegado? —preguntó Pauline mientras la muchacha iba y venía por la cocina.

—No es la primera vez que lo hace —dijo, resignada, Madeleine.

—Pero eso no puede consentirlo —replicó Pauline.

—No puedo hacer nada. Es más fuerte que yo. Estaría loca si tratara de defenderme. Pero cuando no está borracho no es malo —la voz de Madeleine se había ido suavizando.

La chica se volvió hacia ella, ya con la compresa en la mano.

—Eso es lo peor —dijo, indignada—. En seguida te olvidas. Cualquier día te va a matar. No puedes vivir con él. Hasta tus hijos te lo dicen. Tienes que dejarlo.

Madeleine no decía nada. Se había sentado en una silla y miraba hacia el suelo con su único ojo destapado. La chica se presentó: se llamaba Gracielle y servía en casa de los Clement. Era del mismo pueblo que Madeleine. En realidad, había conseguido el trabajo porque Madeleine le había informado que los Clement buscaban una doncella.

—Dígaselo usted —dijo Gracielle, como despedida, dirigiendo una sonrisa a su amiga—. A ver si usted la convence de que no se puede vivir con un hombre como él.

Después del almuerzo, Madeleine se despidió. Pauline, torpemente, le aconsejó que tratara de evitar la presencia de su marido cuando estuviera borracho.

—Ahora no está en casa —dijo Madeleine—. Siempre descanso un poco cuando llego, aprovechando que él no está. Luego preparo la cena para los chicos. A él se la dejo hecha, pero se queda fría.

—¿Siempre viene tarde?

Madeleine asintió.

—No siempre me pega —dijo—. A veces llora. Casi es peor entonces. Los chicos no lo conocen bien. Es un hombre bueno, pero todo le ha salido mal.

Aquellas palabras tardaron en desvanecerse. Todo cuanto había dicho Madeleine cobró realidad en la cabeza de Pauline. Vio a los cuatro hijos varones de Madeleine cenando en la cocina y aconsejando a su madre que dejara ya a su padre. Escuchaba el tono exaltado de su voz. E imaginaba que entonces Madeleine asentía, por darles la razón, porque Madeleine asentía siempre, aunque negaba con los ojos.

3

En el buzón había una carta perfumada. El remite se leía con claridad: Florence Clement. Pauline rasgó el sobre y leyó las líneas que llenaban la tarjeta. Florence Clement la invitaba a tomar el té. Quería hablar con ella de un asunto personal. Si tenía algún compromiso para aquella tarde, le rogaba que se lo hiciera saber. De lo contrario, la esperaba «mañana, a las cinco».

Pauline leyó la carta varias veces, tratando de encontrar en ella el motivo de la invitación. Hasta el momento, su relación con los Clement se había limitado a fugaces encuentros por la calle. Incluso le sorprendió que la señora Clement se encontrara todavía en la ciudad. Muchos de sus habitantes se habían marchado ya de veraneo. Los Clement eran, en aquella calle, los primeros que se marchaban. Sus viajes veraniegos se iniciaban con un despliegue de coches, baúles y maletas. No obstante, allí estaba la nota de la señora Clement, indicando que ese año pasaba algo.

Pauline acudió a la casa de los Clement a la hora señalada. Hacía calor en la calle, el calor húmedo de los veranos en la ciudad. El frescor llenaba la casa de los Clement. Los amplios salones en penumbra, las flores y las plantas, daban al aire la ligereza de otra estación. La doncella hizo pasar a Pauline a una sala desde la que podía contemplarse el jardín. Pauline lo había imaginado muchas veces. Por encima del alto muro, había admirado las frondosas copas de los árboles y había concebido un jardín umbroso, con senderos bordeados de setos y macizos de flores. Allí estaba ante sus ojos y era igual al jardín de sus sueños: estaban los setos, los macizos de flores, una rotonda, algún banco.

Volvió la cabeza al escuchar el ruido de la puerta. Florence Clement hizo su aparición y se dirigió hacia ella sonriendo.

—Tengo que excusarme, señorita Duvivier o... me permitirá usted que la llame por su nombre, Pauline, ¿no es así? Un nombre muy bonito. Siéntese, por favor. En seguida nos traerán el té. Hace calor, ¿verdad? En realidad, hubiera debido ir yo a visitarla y estuve a punto de hacerlo, pero no sabía lo que le parecería a usted más... —dudó—, más conveniente. ¡Le agradezco tanto que haya venido! —sus ojos castaños miraban a Pauline con complacencia. Se echó hacia atrás en su butaca y prosiguió—. Nos conocemos de vista, ¿no es verdad? Algunas tardes la veo pasar por debajo de mi ventana en dirección al parque —se quedó un momento callada, como si quisiera evocar esos u otros paseos—. Me acuerdo perfectamente de su padre. Un hombre de aire distraído, alto, elegante. En fin, ya ve, somos vecinas y nunca nos hemos hablado.

Una doncella entró y dejó sobre la mesa el juego de té. Lo empezó a servir, pero Florence hizo un gesto con la mano, indicando que lo haría ella. La doncella salió del cuarto, cerrando la puerta tras de sí. Florence ofreció a Pauline la taza de té. Luego miró hacia la puerta, que permanecía cerrada.

—Tengo que hablarle de algo que le parecerá extraño —dijo—. En realidad, es un poco raro, lo sé, y si en algún momento usted se siente, no sé, tal vez ofendida, aunque yo creo que no, de lo contrario no la hubiera llamado, no le hubiera pedido... En fin, es difícil empezar —sonrió brevemente y sus ojos, que miraban a Pauline, parecieron desenfocar su objetivo—. Usted conoce a Gracielle, la muchacha que servía en mi casa. Era amiga de la mujer que trabaja en la suya.

—Son del mismo pueblo —dijo Pauline, aliviada de poder atrapar al fin una idea concreta.

—Exactamente —dijo Florence—. Es una chica de muy buen corazón, pero se ha metido en un asunto peligroso —Florence se pasó la mano por el pelo que caía suavemente a ambos lados de su cabeza—. Ocurrió algo desagradable. Mi marido y yo tuvimos que ausentarnos un fin de semana y nuestra ama de llaves, la señora Murat, que ha servido en casa de mi marido durante años, los sorprendió, quiero decir, sorprendió a la chica con uno de los criados en, usted me comprende —Pauline asintió y Florence comprimió sus labios para no sonreír—, en una situación comprometida. Lo verdaderamente escandaloso era el lugar, el sitio donde estaban —se calló, como si buscara un golpe de efecto—. El dormitorio de mi marido. El caso fue que la señora Murat, que venera a Michel, consideró que aquello había sido un sacrilegio y tuvo unas palabras muy fuertes con ellos, a raíz de las cuales Gracielle y Claude se despidieron. Cuando volvimos de viaje, ya se habían ido. No sé si su criada le habrá contado algo.

Pauline negó con la cabeza.

—La pobre Madeleine tiene —dijo—, tiene otras preocupaciones.

—Sí, ya sé —interrumpió Florence—. Su marido bebe más de la cuenta. Gracielle me lo contó. Es una chica muy habladora. Me distraía mucho. Por eso quiero ayudarla. Es que ahora viene la parte que me preocupa de verdad —Florence se recostó en la butaca—. Claude es vengativo y cuando se fue amenazó a la señora Murat. Le dijo que no iba a consentir que a él le censuraran lo que a otros les está perfectamente permitido. Bueno —suspiró con resignación—, cuando la señora Murat me lo dijo, yo no le di importancia. Ella misma se lo podía haber inventado. No me tiene mucha simpatía —se encogió de hombros, indiferente—. Y, en realidad, los chantajes no me impresionan.

Florence encendió un cigarrillo y se quedó mirando el humo que se alzaba ante sus ojos.

—Resulta difícil explicar lo que siento y no sé si se puede comprender, pero las cosas son así y no puedo cambiarlas. No me llevo bien con Michel. Mantenemos la relación cara a la sociedad, porque cualquier otra cosa sería incómoda para ambos. Hemos llegado a este acuerdo hace ya algún tiempo, de forma que un chantaje no me afectaría. Lo que puedan decir y probar a Michel él lo imagina ya, aunque, como es lógico, prefiere no darse por enterado. Él mismo, si le presentaran unas pruebas, las destruiría. Sería un asunto desagradable y le pondría de mal humor, pero pronto lo borraría de su cabeza, porque no son estas las cosas que verdaderamente le importan —el tono de voz de Florence, distante y sereno, volvió a animarse—. El caso es que Claude me ha enviado una carta, me pide dinero a cambio de ciertas pruebas. ¿Fotos? ¿Cartas? No dice qué. Bueno, yo puedo olvidar el asunto, pero me preocupa la chica, Gracielle. Sospecho que está enamorada de ese hombre. Un hombre como Claude puede hacer con ella lo que quiera —Florence aspiró el humo de su cigarrillo y se calló, como si quisiera calibrar el alcance de sus palabras.

4

Pauline trató de pensar en Gracielle. Había vuelto a su casa otras veces. Simpática, habladora, llena de vida, no parecía, sin embargo, regirse por sólidos criterios.

—Gracielle me habló de usted con respeto, con cariño —dijo Florence e hizo otra pausa solemne—. Creo que a usted le haría caso, que se fiaría de usted.

—¿Qué quiere decir? —preguntó Pauline, sobresaltada.

—Para eso quería hablar con usted —dijo Florence—. Ese hombre, Claude, pide una suma de dinero. Quiere que se lo llevemos a un determinado lugar —aquel plural desconcertó a Pauline—. Ya sabe cómo son estas cosas —Pauline no lo sabía—. Pero yo he pensado algo distinto. En primer lugar, las pruebas, si es que tienen alguna, las tuvo que conseguir Gracielle, que era mi doncella, y es probable que continúen en su poder, porque no es tan tonta como para desprenderse de ellas. Incluso si está enamorada de Claude, como imagino, las conservará para retenerlo a su lado. He averiguado dónde viven y a qué horas se ausenta Claude de la casa. Lo que se me ha ocurrido es que vaya usted a hablar con la chica y la convenza de que abandone a ese hombre. Por supuesto, ayudaré a la chica. Le ofreceré más dinero del que me pide él.

Los ojos brillantes de Florence se clavaron en Pauline, que había seguido con esfuerzo el hilo de aquellos razonamientos.

—He pensado en usted porque a mí no me haría caso. Creo que me tiene afecto y estoy convencida de que no quiere causarme ningún daño, pero Claude la tiene dominada. Desconfiaría de mí. En cambio, no tiene ninguna razón para no creerle a usted.

—Quiere que yo consiga esas pruebas de la chica —dijo Pauline, tratando de poner orden en sus pensamientos.

—Las pruebas no me preocupan gran cosa —dijo Florence, moviendo sus hombros con indiferencia—. Me gustaría saber si existen, eso sí, o si es que se lo han inventado todo. Usted puede pedírselas de mi parte, ya que tendrá que explicar que, en cierto modo, es un favor que yo le he pedido a usted. Pero ese no es el asunto central —sus pupilas se achicaron y Pauline se dijo que nunca sabría cuál era el asunto central—. Hay que convencerla de que se vaya con ese dinero y se aparte de ese hombre. La arrastrará a sucios negocios. Que se vaya de la ciudad.

Florence encendió otro cigarrillo. Parecía más tranquila.

—Ya ve que se trata de un asunto bastante raro y siento tenérselo que pedir. Se preguntará en nombre de qué le pido un favor así, cuando sólo nos conocemos de vista —su mano se movió en el aire, en señal de impotencia—. Pero es usted la única persona que podría hacerlo. Esa es la única razón. Si todo esto le repugna, olvídelo. Si cree que tiene algún sentido, adelante.

Florence se había quedado callada. Inclinó su cuerpo sobre la mesa y, después de ofrecer a Pauline otra taza de té, llenó la suya. Pauline miraba a Florence, pero hablaba consigo misma. Lo que se pedía de ella era que fuese a visitar a Gracielle y pusiera en sus manos una suma de dinero, decirle que abandonara la ciudad, que le diera las pruebas que había mencionado Claude. ¿A quién hacía el favor? Aparentemente, a Gracielle. Pero el favor se lo pedía Florence Clement. La versión de los hechos la había dado ella. ¿Era cierto cuanto había contado? ¿No era una historia muy turbia? Sabía que cualquier otra persona se levantaría, después de dar las gracias por el té, y abandonaría dignamente la casa. Pero había algo en Florence Clement que la empujaba a ayudarla. Pauline estaba segura de que no había sido del todo sincera. Puede que hubiera modificado algún detalle. Pero se sentía atraída por su actitud, el tono de su voz, su mirada, la forma en que la historia había sido expuesta.

—Me gustaría tener más garantías de que la chica no correrá ningún peligro —dijo Pauline.

—¿Qué propone usted? —preguntó Florence, y sus ojos eran negociadores y divertidos.

—Un billete de tren para que salga inmediatamente de la ciudad y un lugar en el que pueda estar a salvo durante unos días. Ese hombre pensará que ha sido traicionado y puede querer vengarse.

Florence asintió.

—Puede permanecer una semana en mi casa de campo. Nada más —añadió con cierta dureza—. No podemos ayudarla eternamente.

—¿Cuándo tengo que ir?

—El día más seguro es mañana al mediodía. Tenemos la seguridad de que a esa hora Claude estará lejos de la casa.

Pauline se estremeció, pero no dijo nada.

—A primera hora de la mañana mi chófer le llevará el dinero y el billete. ¿Le parece bien?

Pauline asintió y se levantó. Florence Clement la acompañó hasta la puerta y estrechó su mano.

El calor de la tarde la recibió en la calle. Bajo los árboles del parque, los ancianos como Pauline, sentados en sillas de hierro, parecían meditar profundamente. Después de andar unos pasos, Pauline también se sentó. Aparentemente, ella era una anciana más. Sin embargo, acababa de aceptar tomar parte en una intrincada historia de chantaje y adulterio. ¿Por qué había aceptado? Apenas conocía a la persona que se lo había pedido y eso aún resultaba más extraño. Pero no pensaba echarse atrás. Estaba dispuesta a jugar ese confuso papel, sabiendo que era confuso y sabiendo que el papel que había jugado en la vida no era, en el fondo, mucho más claro. No sabía a ciencia cierta por qué quería ayudar a Florence Clement y quizás a Gracielle; tal vez sólo porque eso era lo que le habían pedido, lo que había surgido de pronto ante sus ojos.

5

La imagen de Florence Clement evocó en Pauline la figura de Hélène Dufour, cuya amistad con su madre nunca había sido sancionada por su padre. La vida de Hélène Dufour no se circunscribía, como la de Agnes, a los límites del hogar. Hélène, amiga de Agnes desde la infancia, tenía continuas actividades sociales. Además, trabajaba. Era directora de *El Estilo*, revista a la que estaban suscritas todas las damas de la ciudad que se preciaran de ser distinguidas señoras y eficaces amas de casa. Hélène visitaba con frecuencia a Agnes. Recorría la casa con pasos seguros, haciendo sugerencias de orden o decoración, impartiendo consejos sobre un traje o un peinado. El olor intenso de su perfume se quedaba en el aire y su padre adivinaba siempre quién había estado en la casa. Marcel Duvivier se esforzaba por ser tolerante con aquella amistad, aunque no podía explicársela. Los Dufour no pertenecían a su mundo. Interpretaba la amistad como una debilidad de Agnes, en la que no quería indagar. Sin embargo, cuando Hélène, en un escándalo que conmovió a la ciudad, dejó a su marido y a su hijo para casarse con un millonario americano, Marcel no hizo ningún comentario. Sabía que Agnes se sentía herida. Ella misma no lo entendía, pero estaba dispuesta a defender a su amiga. No había reunión en la que no se sacara el asunto de Hélène Dufour y no se hablara de ello con indignación. Era suficiente. Marcel no se complació en mortificar a Agnes. La relación, todos lo sabían en la casa, no se había roto. Agnes recibía regularmente cartas de Hélène.

Para Pauline, Hélène Dufour había sido importante. A través de ella había conocido el mundo del trabajo. Agnes había pedido a Hélène que buscara en la revista un puesto para Pauline. Sabía perfectamente a qué se debía aquella propuesta de su madre. Pauline había sufrido un desengaño amoroso y había caído enferma. Agnes no la había interrogado, pero lo había supuesto e imaginó que aquella experiencia la ayudaría a salir de la desilusión. Las predicciones de Agnes se habían cumplido. Al principio, Pauline había acogido la idea con temor, pero poco a poco se había ido adaptando a aquel ambiente y al juego de simpatías, antipatías y coaliciones que se desarrollaba en el seno de la redacción. En la revista trabajaban mujeres de edad madura que alardeaban de buen gusto y experiencia en resolver difíciles situaciones domésticas. Presumían de ser capaces de organizar una cena espectacular a partir de escasos o baratos ingredientes, de componer un atuendo elegante con ropa pasada de moda. La mayor parte del tiempo lo consumían en el intercambio de esta información y una semana al mes se ponían nerviosas y trabajaban para que el número de la revista estuviera listo. Hélène sólo iba a la redacción un par de veces a la semana. No hablaba mucho con las colaboradoras. Se dirigía al despacho de Rose Fouquet, quien dirigía la revista verdaderamente, y permanecía un rato en él. Si se cruzaba con Pauline, le sonreía brevemente. Algunas veces, le preguntaba: «¿Estás contenta?», y era una pregunta formulada en tono amable. Pero la sonrisa o amabilidad se esfumaban de pronto y Hélène, sin esperar respuesta, desaparecía.

Mucho más tarde, durante la enfermedad de Agnes, Marcel cambió la opinión que, aunque no la hubiera explicitado con claridad, había tenido siempre de Hélène. Regresó a la ciudad que había abandonado para visitar a su amiga. Seguía siendo una mujer activa. Ahora tenía un negocio propio en Nueva York. Su segundo matrimonio también había fracasado. Pero todo eso no contaba. Estuvo velando a Agnes durante horas. Se sentaba junto a la cabecera de la cama y hablaba y se reía, distrayéndola. Ayudó a Marcel a conseguir las medicinas que podían aliviar a Agnes.

—Estaba equivocado con Hélène —murmuró Marcel.

No estaba tan equivocado. Hélène no había cambiado tanto. La equivocación de Marcel era su necesidad de juzgar, y los juicios suelen ser simples. Había menospreciado siempre a las personas que no aprovechaban las enseñanzas de los sabios. Los sabios eran para él los filósofos. Pauline no contestó a su padre. Era tarde para discutir con él. Había vislumbrado siempre un nexo misterioso entre su madre y Hélène, como había percibido, durante el tiempo que había trabajado en *El Estilo*, la complicidad entre Hélène y Rose Fouquet aunque, aparentemente, no había ninguna semejanza entre las dos mujeres.

6

Alrededor de Rose Fouquet existía un halo de misterio. Rose llegaba a la redacción muy temprano, se encerraba en su despacho y sólo salía de vez en cuando para dar órdenes.

Fue Chantal, la más simpática de las señoras que acudían a la redacción, quien desveló a Pauline el pasado misterioso de Rose. Mientras tomaban café en la pastelería, sin ningún preámbulo, como si considerase que era su deber poner a Pauline al corriente de los antecedentes morales de las personas que trabajan con ella, le contó la historia de Rose.

Rose Fouquet pertenecía a una familia distinguida y semiarruinada, por lo que había tenido que trabajar de secretaria desde muy joven. Era así, trabajando de secretaria, como había ocurrido el hecho trascendental de su vida. El director de la empresa se había enamorado de ella y ella había tenido la debilidad de corresponderle. Aquella pasión había durado varios años —Chantal sostenía que diez— para terminarse de forma contundente y humillante para Rose. El hombre en cuestión se había casado con una joven de fortuna y ni siquiera había tenido la delicadeza de comunicárselo a su secretaria. Chantal, con la boca llena de bollo y moviendo agitadamente sus manos, en cuyos dedos se incrustaban relucientes anillos, condenaba la arrogancia de aquel hombre, de quien no quería decir el nombre pero que era, repetía, escandalizada, «muy, muy conocido». Al parecer, Rose se había enterado del compromiso matrimonial de su jefe por el periódico.

—¿Qué se pensaba ese imbécil? —concluía Chantal—, ¿que Rose no leía el periódico?

Sobre la escena que al fin había tenido lugar entre Rose y el jefe había varias versiones. Chantal se inclinaba a pensar que Rose no había hecho ninguna referencia al asunto cuando presentó su dimisión, una vez segura de que la noticia era cierta. Era fácil imaginar a Rose, tensa, pálida y seria, negándose a dar una razón para su súbita marcha. Había quienes ofrecían versiones más dramáticas y Chantal las consideraba porque le gustaban. Aunque no creía en ellas, no podía dominar un perceptible temblor de la barbilla al hablar de la explosión de esas emociones: gritos, llantos, hasta ofrecimiento de dinero y violento rechazo. Porque de lo que no cabía duda era de que Rose no había sacado ningún beneficio de aquella historia. ¿Se complacía Chantal con aquella conclusión?

Tras el relato de Chantal, Pauline miró a Rose Fouquet con ojos nuevos. Su aire, triste y enérgico, acentuado por los trajes de chaqueta grises, las blusas blancas, todo muy limpio, muy planchado y muy usado, el pelo ceniciento recogido en la nuca y el rostro sin maquillaje —una única vez se había pintado suavemente los labios—, le parecían la lógica conclusión de aquella historia tras la que había tenido que rehacer su vida.

Alrededor de Rose había un muro de silencio. A la única persona a quien trataba con un poco de afecto era al mozo de recados, un joven de expresión pícara, que se burlaba de las damas sin que ellas se dieran cuenta. Sus respuestas algo irrespetuosas hacían sonreír a Rose.

Pero aquel muro de soledad que se había edificado en torno a Rose Fouquet era más fruto de la necesidad social que de un resentimiento íntimo. Ese muro era una forma de responder a la pregunta que se quedó gravitando en todas las cabezas tras el inesperado desenlace de aquel romance: ¿había perdido Rose Fouquet su virginidad? Rose, que era obstinada y orgullosa, no encontró otro medio de hacer frente a esa pregunta silenciosa, hasta conseguir borrarla de todas las miradas que se dirigían a ella, que el de la severidad y el distanciamiento. Su carácter fuerte había sabido imponerse; había ganado la partida. Al cabo de algún tiempo, Rose, esforzándose porque los otros olvidaran la desgraciada historia, también la había olvidado. En la lucha, su personalidad había cambiado. Era una mujer solitaria y autosuficiente. Se había desprendido del juicio de los demás y se guiaba por sus propios criterios. Rose se convirtió entonces en una mujer culta para su propio placer. Asistía a los auditorios musicales y a representaciones teatrales, pero, como le disgustaba el ambiente mundano del patio de butacas, se refugiaba en los últimos pisos. Descubrió que la posición verdaderamente cómoda en la sociedad era la de esa relativa marginación, y cuando alguna vez recordaba la causa que la había situado en aquel extremo, se sonreía con benevolencia. Rose Fouquet no cambiaría su vida por ninguna de las vidas de aquellas respetables y aburridas señoras que pobablan el patio de butacas, oyendo, sin enterarse, bellas melodías y fingiendo deleitarse con sutiles representaciones. La cultura proporcionaba a Rose todas las emociones que la mayoría de las mujeres y de los hombres buscan en el amor. Había amado una vez con todas las consecuencias y comprendía el corazón de los hombres, pero había llegado a descubrir que únicamente el arte merecía la entrega del corazón. Sin estar capacitada para la creación artística, sabía valorarla. Rose Fouquet era, en suma, ese destinatario ideal con el que sueña el creador y que muchas veces justifica su existencia.

Pauline acababa de sufrir un fracaso amoroso. Pensaba que no podría existir en su vida otro momento de mayor desdicha. Pero ante la fortaleza de aquella mujer cuya humillación había sido más honda, más patente y dolorosa que la suya, llegó a olvidarlo. Rose lo había arriesgado todo y al fin no había perdido nada. Su inteligencia y sensibilidad la hacían atractiva. Rose Fouquet le había enseñado que existen otros caminos distintos al amor, la nostalgia y el sufrimiento.

7

El asombro que Pauline sentía por la misión que le había encomendado Florence Clement se reflejó, al día siguiente, en los ojos de Gracielle. Pauline, que en aquel momento sólo se sentía cansada —el viaje en autobús había sido largo, la casa de Gracielle no tenía ascensor—, enmudeció ante la sorpresa de la muchacha.

—¡Pero señorita Duvivier! —exclamó Gracielle bajo el marco de la puerta.

Sólo estaba cubierta con una combinación de nailon, y Pauline la contempló mientras trataba de recordar cuanto tenía que decirle. Gracielle, al fin, se apartó y la invitó a entrar.

—¡No puedo comprenderlo! —seguía exclamando, y echó a andar por el pasillo inundado de sol. Pauline la siguió—. Es usted la última persona a quien hubiera imaginado ver. No es que me desagrade —aclaró cuando llegaron a una habitación amueblada con un sofá, una silla, una mesa baja y una lámpara de pie—. Bueno, siéntese, señorita Duvivier. Parece cansada.

Pauline se dejó caer en el sofá. Gracielle se sentó en la silla.

—Si me pudiera traer un vaso de agua —pidió.

—Agua no me falta —dijo Gracielle, levantándose—. Ni vino, si hace al caso. No crea que puedo ofrecerle mucho más. ¡Qué visita más inesperada! —una luz de alarma se encendió al fondo de sus pupilas—. ¿Le ha sucedido algo a Madeleine, a François? ¿Cómo ha sabido dónde me encontraba?

Pauline la tranquilizó y Gracielle fue en busca del vaso de agua.

—Vengo de parte de la señora Clement —dijo después Pauline, y observó que los ojos de Gracielle se dilataron, ahora con miedo—. No la conozco a usted mucho, Gracielle —siguió lentamente— pero, según entiendo, se ha metido en un asunto desagradable. La señora Clement me ha pedido que le entregue una cantidad de dinero para que se aleje de un hombre llamado Claude. Traigo un billete para que salga de la ciudad. Durante unos días, puede permanecer en la casa de campo de los Clement. Luego, tendrá que buscar algo.

Gracielle no contestó inmediatamente. Parecía pensar. Su voz temblaba cuando preguntó:

—¿Y qué es lo que quiere la señora Clement a cambio?

—Quiere las pruebas —dijo Pauline.

En ese momento a Pauline no le gustó su papel. No añadió nada más. Sus palabras le habían resultado extrañas. No quedaba sino esperar. Gracielle se habían levantado y miraba por la ventana. Pauline se preguntó qué panorama se contemplaría desde allí. Seguramente, parte del barrio, de sus edificios rectangulares, desolados. Gracielle dio un brusco giro y abandonó la habitación. Volvió en seguida. Traía un sobre en la mano.

—Las cartas —dijo, dándoselas a Pauline—. No creo que tengan ningún valor. Sólo queríamos sacar algo de dinero. Claude estaba furioso por la forma en que nos echaron.

Gracielle tomó el sobre y el billete que le tendió Pauline.

—Es para esta tarde —musitó—. ¿Y si lo pierdo? —miró a Pauline, suplicante—. Señorita Duvivier, tengo miedo. Claude se enfadaría tanto si supiera... Por favor, acompáñeme a la estación. Si nos encuentra, le diré que es usted una tía mía.

—Pero, ¿cómo nos va a encontrar? —dijo Pauline—. Está lejos de aquí. No va a venir a casa ahora.

—Acompáñeme, señorita Duvivier. Se lo pido por favor. Estoy muy asustada. Mire cómo me tiemblan las piernas. Haré la maleta en un momento. Tengo muy pocas cosas. Espéreme. Vuelvo en seguida —hizo un gesto con la mano y salió del cuarto.

Pauline miró al fondo del vaso de agua. Seguía cansada y no acababa de comprender el miedo de Gracielle.

—Ya estoy lista —dijo Gracielle que, de pronto, dejó la maleta en el suelo y miró interrogante a Pauline—. ¿Usted cree que la señora Clement busca algo al darme este dinero?

Pauline se levantó.

—Vámonos —dijo.

—La señora Clement piensa que él es malo, ¿no? —insistió Gracielle, mientras avanzaban por el pasillo.

Pauline asintió. Gracielle cerró la puerta. Empezaron a descender las escaleras.

—Si lo echo de menos, volveré con él —dijo Gracielle.

Aquellas palabras sonaron en el hueco de las escaleras; su eco las acompañó hasta el portal.

Tomaron un taxi. Ninguna de las dos habló durante aquel trayecto. Pauline dejó a Gracielle en el vagón y vio cómo el tren se perdía en el horizonte, envuelto en una nube de humo negro. Sacó un pañuelo de su bolso y se limpió la cara, cubierta de sudor. Debía ser muy tarde. El reloj de la estación surgió de repente ante sus ojos: las dos y media. Pauline se sintió triste y fatigada, rodeada de gente que iba y venía por el andén dispuesta a iniciar sus vacaciones.

En el buzón de su casa había una postal. Era de Clarisse, una vecina de Pauline. Era viuda desde hacía años y aquel verano había realizado su sueño: ir a Montecarlo a jugar. Esa era su pasión. El casino de Montecarlo, en primer plano, se destacaba contra un cielo azul añil. La letra de Clarisse era casi ilegible. «Esto es precioso —descrifó Pauline—. He conocido a gente muy interesante. No tengo muy buena racha, pero hoy me he despertado con un presentimiento. Por eso le envío esta postal: piense en mí y ganaré. Abrazos, Clarisse.»

Pauline pensó en Clarisse. La imaginó mirando fijamente la ruleta, sosteniendo entre sus dedos una ficha nacarada, esperando que la rueda dejase de girar y la bola se detuviera en el número escogido. Ojalá fuera así.

8

El chófer de la señora Clement recogió el sobre que Pauline había obtenido de Gracielle como si no le importara en absoluto. A Pauline le molestó íntimamente que su cometido acabase así, con aquel gesto de indiferencia.

Contempló la calle desde la ventana. Se sentía vieja, pero sabía que el aire de la calle, cálido y prometedor, llenaba de esperanzas a los jóvenes. Tal vez se sentía vieja por eso. El calor remitiría y los sueños se harían más vívidos. La suave brisa del río empezaba a hacerse sentir, agitando las hojas de los árboles, acariciando los pensamientos más secretos. Esas tardes de verano parecían encerrar una promesa: el mundo podía mostrar una faceta dulce, insospechada. El universo tenía las dimensiones de una tarde inacabable de verano en la ciudad. Una tarde llena del eco de voces, risas, de polvo y de calor, de zapatos blancos que se ensucian, de trajes ligeros que se arrugan, de toda la frágil belleza que rodea las ilusiones.

Pauline buscaba, en aquella tarde calurosa y húmeda, alguna razón para comprenderse a sí misma. El presentimiento del anochecer la envolvía en su tristeza. Su propia actuación durante aquel día, el recorrido que había hecho de un extremo a otro de la ciudad, se había ido desvaneciendo y parecía, al final de la tarde, algo irreal. Florence Clement había conseguido las pruebas, pero su bolso, que había contenido tantas cosas durante el día, estaba ya vacío, y parecía un símbolo. Seguramente Gracielle habría llegado ya a la casa de campo de los Clement y Claude habría regresado a casa, ¿cuál sería su reacción? Si las cartas no eran tan importantes, a lo mejor hasta se habría encogido de hombros. Una chica se había ido de su lado; una chica más.

Pauline se sentía lejos de sus semejantes, sin saber si había llegado a entenderlos alguna vez. Su padre siempre había mantenido que el hombre debe aprender de sus semejantes, pero él había preferido refugiarse en la biblioteca, como si fuesen pocos los semejantes de los que mereciera la pena aprender. Él mantenía aquel principio de forma solemne, como si fuese, más que producto de una elaborada reflexión, verdad incontestable. El hombre estaba hecho así, como quiera que hubiera sido hecho, fuera su origen divino o material. Todo hombre tiene, en alguna parte más o menos oculta de su personalidad, esa extraña materia de donde nacen los sueños y deseos de absoluto. Ese había sido el axioma por el que se había regido su padre.

9

Madeleine anunció:

—Acaban de traer un paquete muy pesado para usted. Tiene que firmar aquí —extendió un recibo, esperó a que Pauline lo firmase y salió del cuarto.

Intrigada, Pauline bajó las escaleras. Miró el paquete: una caja de madera con el letrero de «Muy frágil». Madeleine cortó las cuerdas y abrió la caja con ayuda de un destornillador. Eran botellas de vino, envueltas en virutas de serrín. Doce botellas de vino. Entre ellas había un pequeño sobre. Pauline lo cogió. Olía a perfume. Era una tarjeta de Florence Clement. Únicamente había escrito: «Con agradecimiento y afecto.» Madeleine colocó las botellas en la despensa.

Aquel mediodía Pauline mandó abrir una de las botellas. Vertió con cuidado el vino en una copa de cristal de Bohemia. Lo contempló con respeto; probablemente, no sería capaz de valorarlo. Era uno de los mejores vinos del mundo. Aquel líquido rojo oscuro, lleno de luz, de sombras y matices, procuraba una sensación de seguridad y peligro. Su sabor a nada podía compararse. Era el resumen de todas las emociones y vivencias. Dichas y penas, dolor, felicidad, miedo: todo tenía cabida en él. ¿Era ese el sabor, el color de la vida o, precisamente, el símbolo de lo que jamás alcanzaremos?

Nunca llegaría a conocer el significado preciso de aquel regalo, ni de lo que para Florence Clement había supuesto el favor que le había hecho. Pero ahí estaba esa extraña emoción en mitad del día, iluminándolo todo, alcanzando fugazmente la inmortalidad.

10

Roger Deschamps, el más fiel amigo de Marcel Duvivier, escuchaba atentamente a Pauline. Le había preguntado por su vida doméstica y por la criada, Madeleine, por pura fórmula, porque sabía que esas eran las cosas que podían interesar a Pauline. Pauline le comunicó sus preocupaciones. Hacía unos meses el marido de Madeleine había sido ingresado en un hospital. Había experimentado una mejoría y había sido trasladado al campo. Esa misma mañana, Madeleine le había enseñado a Pauline una carta. El doctor que cuidaba de François le participaba que podía ir a visitarle. Madeleine estaba excitada. Creía que era una buena señal.

Roger Deschamps estaba acostumbrado a escuchar. Había trabajado al lado de Marcel Duvivier durante años. Muchas veces volvían juntos a la casa y Roger se quedaba a almorzar. Era algunos años menor que él, estaba casado y tenía cuatro hijos. Nada le gustaba tanto como pasar las tardes en casa de Marcel Duvivier. Tras su muerte, iba, como por inercia, a visitar a Pauline. Se sentaba en una butaca, frente a una copa de anís, y no decía nada. Permanecía así una hora escasa. Luego, daba un suspiro y se marchaba.

En aquella ocasión, miró a Pauline pensativamente. Le gustaba ayudar. Cuando habló, ya tenía un plan. Ofreció su coche para que se realizara aquella visita.

—Vaya usted con ella, Pauline —sugirió—. Después de dejar a la chica en el hospital, Gerard le acercará a «Nuestro Retiro». No hay nadie ahora, sólo la guardesa. Le diré que prepare algo para el almuerzo. Me gustaría acompañarla, pero tengo trabajo atrasado.

Pauline vio surgir en su interior la pequeña casa de campo de los Deschamps, a la que había ido alguna vez con su padre. Era pequeña, pero agradable. No tenía ninguna pretensión, no había muebles buenos. Era una verdadera casa de labranza a la que se habían hecho los arreglos indispensables para vivir con comodidad. La mujer y los hijos de Roger pasaban allí los veranos, pero se aburrían. La vida en un pueblo no presenta muchos alicientes, y la casa había ido cayendo en el abandono. Seguían yendo, pero ya no la cuidaban. Pauline siempre había ido cuando no estaba la familia Deschamps. Roger, su padre y ella se habían sentado muchas veces en el banco de hierro de la rotonda, donde parecía que el mundo sólo había sido hermoso en otros tiempos, cuando las tardes declinaban lentamente en medio del aire tibio, lánguidas conversaciones y meriendas servidas en frágiles porcelanas.

11

Mientras el viejo coche de los Deschamps se deslizaba por la carretera, Pauline contemplaba el paisaje otoñal. El dorado y rojizo tono de las hojas presagiaba la pronta desnudez que traería el invierno. En los asientos delanteros, Madeleine y Gerard, el chófer de los Deschamps, hablaban incensantemente. Después de una pausa, Madeleine tarareó una canción.

Frente a la verja del hospital, se hizo el silencio. La finca era grande, el edificio, destartalado, tenía el aire triste de los edificios públicos. Conforme avanzaban por la estrecha carretera que conducía hasta él, vieron a grupos de personas que disfrutaban del templado día de otoño. Madeleine miraba hacia los lados. Gerard detuvo el coche frente a la puerta principal.

Madeleine murmuró un débil adiós, salió del coche y subió los escalones de piedra. Desapareció tras la puerta. El coche deshizo el camino en dirección a la carretera. Gerard hablaba de hospitales. Ante la vista de uno, se había visto en la necesidad de recordar sus relaciones con ellos.

No tardaron en llegar a «Nuestro Retiro». Las hojas secas de los árboles, todavía sin recoger, formaban pequeños montones a ambos lados del sendero. La guardesa, una mujer llamada Anne, tan habladora como Gerard, dio grandes muestras de entusiasmo al ver a Pauline. Le disgustaba que la casa no se cuidara como en el pasado y se fue lamentando, punto por punto, de todo lo que exigía una reparación.

—Le he preparado el almuerzo en el mirador —dijo Anne—. A su padre le gustaba comer allí.

Anne, por fin, se esfumó, y Gerard tras ella. Pauline recorrió el jardín. Emanaba tanta nostalgia que, en medio de él, podía sentirse serena, fuerte. El jardín, la casa, la rotonda, formaban una unidad que respondía perfectamente al nombre que la madre de Roger le había querido dar y que todos, en su momento, habían encontrado cursi, ligeramente de mal gusto.

Anne era una buena cocinera y ofreció a Pauline un buen almuerzo. Como tenía con quien hablar —en la cocina le esperaba Gerard— no intentó trabar conversación con Pauline.

Después del almuerzo trajo una manta y un cómodo sillón de mimbre, bien cubierto de almohadones.

—Nada como un rato de descanso, señorita Duvivier —dijo, mientras desdoblaba la manta—. A nuestra edad, tenemos que cuidarnos. Es cuando sabemos lo mucho que vale la vida —guiñó un ojo, como si ambas supieran perfectamente en qué consistía ese valor, y desapareció.

12

Acunada por el rumor de las hojas, Pauline cerró los ojos. Cuando los abrió, sin saber si había dormido realmente, se dijo que era rara su presencia allí. Sus pensamientos se habían hecho repentinamente tristes. La manta que la cubría, los almohadones que suponían un blando soporte para el cuerpo, la soledad y el silencio de aquel lugar que no le pertenecía y que, de algún modo, no pertenecía a nadie, le trajeron a la cabeza el período más doloroso de su vida. La figura de su madre en la cama, con el rostro exhausto por el dolor, se presentó ante ella. Pauline acababa de hablar con su padre en el pasillo. Tenía la cabeza apoyada en la pared y había dicho, sin mirarla:

—Está sola. Pasa tú primero. Voy a lavarme la cara.

Pauline se había sentado junto a la cabecera de la cama. Su madre, como si no hubiera oído sus pasos, seguía con los ojos cerrados. Al poco tiempo, había entrado su padre. Olía a colonia, estaba cuidadosamente peinado y llevaba puesta la chaqueta. Su madre abrió los ojos y los fijó en él. No parecía que lo viese, pero dijo:

—¿Por qué llevas la chaqueta? ¿Es que vas a salir?

Pauline miró a su padre. ¿Qué podía decir? En casa, siempre andaba con un jersey y eso molestaba a su madre, pues podía sorprenderles una visita. Ahora su padre se la había puesto instintivamente, para agradarle.

—Sí —murmuró—. Voy a salir un rato.

—No te alejes mucho —dijo su madre.

Pauline temió que él volviera a echarse a llorar. Pero permaneció allí, de pie, silencioso y pálido, hasta que su madre volvió a cerrar los ojos. Esa era la última escena que había tenido lugar entre sus padres. Las últimas palabras que se habían cruzado. Las últimas que Pauline recordaba. Desde el mirador solitario de la casa de los Deschamps, aquellas palabras de su madre la traspasaron como un dardo.

Divisó a Gerard en el jardín. Venía hablando solo; elevó su mano y miró su reloj. Era la hora de regresar. Anne apareció en el mirador. Se acercó a Pauline y la ayudó a incorporarse. También Anne hablaba. Había cortado unas flores y preparado un cesto de manzanas. Todo estaba ya en el maletero del coche.

—Le he traído un poco de café para que lo tome antes de marcharse —añadió.

Pauline dio las gracias. Tomó un pequeño sorbo y salió al jardín. Había refrescado; la tibieza del aire se había impregnado de humedad. Se acomodó en el asiento e hizo un gesto de adiós a Anne, que se había quedado ante la puerta de la casa, desempeñando a la perfección su papel de guardesa.

Iba cayendo el sol. A ambos lados de la carretera, los viñedos se extendían indefinidamente. El paisaje tenía una tonalidad más oscura, más íntima.

El coche enfiló el camino del hospital. Nadie paseaba ya. Las ventanas iluminadas del enorme edificio y la paz que reinaba a su alrededor parecían indicar que todo estaba en orden al término del día.

La silueta de Madeleine surgió en lo alto de las escaleras. Llevaba puestos unos guantes rojos que contrastaban con el color gris de su chaqueta. Gerard abrió la portezuela del coche. Madeleine saludó a Pauline en un susurro y se sentó junto a Gerard.

—¿Y François? —preguntó Pauline—, ¿cómo se encuentra?

Mientras Gerard volvía a poner en marcha el motor del coche, Madeleine prorrumpió en sollozos.

—Muy mal —dijo, cuando el llanto le permitió hablar.

El doctor le había dicho que había ya muy pocas esperanzas. Lloró silenciosamente durante el resto del camino.

Era ya de noche cuando entraron en la ciudad. Por primera vez, Pauline vio dónde vivía Madeleine y recordó su visita a

Gracielle. Era un barrio triste, de casas de varios pisos, todas parecidas. El rostro de Madeleine estaba repentinamente sereno. Ni siquiera sus ojos parecían enrojecidos. Dio las gracias a Pauline, incluso sonrió fugazmente a Gerard, que se había bajado del coche para despedirla.

—Me tengo que hacer a la idea —dijo Madeleine suspirando.

Aquel suspiro no parecía tanto de dolor como de conclusión: iba a sacar fuerzas de allí.

Las farolas iluminaban la calle. Pauline entró en la casa, encendió las luces. Entrar en la casa cuando ya la noche había caído sobre la ciudad le recordó aquellos regresos de los paseos veraniegos, cuando su padre y ella caminaban juntos, callando sus emociones. Pauline recorrió la casa vacía, extrañada de haber pasado el día lejos de ella. Había sido un largo día. La casa de los Deschamps y los recuerdos que había suscitado, la noticia de la próxima muerte de François y el cambio que se presagiaba en la vida de Madeleine, pesaban sobre su ánimo.

En la casa, todo seguía en su lugar. Una delgada capa de polvo se había depositado sobre los muebles. Los ojos de Pauline, acostumbrados a luz del atardecer, percibieron los nítidos contornos de los muebles y los objetos como algo ofensivo, excesivamente real.

Pauline - no family, lives with father
Agnes (friend of Helen) dead
Rene - no family. lives with father
Helen, not dead but has fled.
Lilly - no family - Lived with father

ENTRE-DOS-MARES

1

A los catorce años, René Dufour tuvo que hacer frente a un acontecimiento inesperado: su madre desapareció de su vida, dejando tras de sí a una ciudad escandalizada. El señor Dufour y su hijo fueron compadecidos mientras Hélène, obtenido el divorcio, iniciaba una nueva vida con otro hombre, en otro continente.

René había conocido a su madre cuando su reputación excepcional estaba ya sólidamente formada. Había sido uno de esos frutos tardíos que llegan cuando ya no se los espera y que rompen un equilibrio doméstico construido sobre la idea de que los niños, los hijos, son un hermoso e irrealizable sueño. Los hechos establecidos tenían una consistencia muy concreta; la agenda de actividades sociales estaba colmada, la colección de trajes se guardaba con orden en los armarios, el tocador estaba cubierto de tarros de crema y de perfumes. René irrumpió en aquella realidad muy tarde. El orden de la casa lo envolvió antes que las personas que la habitaban. Vislumbraba, más que veía, a sus padres. Las criadas imitaban a su madre y servían complacientes a su padre, a quien parecían venerar. La delgada figura de su padre recorría en silencio el pasillo en dirección a la calle. René lo recordaba así, cuando, antes de marcharse de casa, se acercaba a su cuarto y le despedía. Le daba la mano. Se agachaba para quedarse a su altura. Sus ojos sonreían. Cuando abandonaba el cuarto, la doncella y él se quedaban con los ojos fijos en la puerta entreabierta. Su padre nunca cerraba las puertas tras de sí.

De su madre aún tenía una idea más vaga. Sólo que su mención era constante, su nombre flotaba en todas las habitaciones. No era imaginable que permaneciera en la parte de atrás de la casa haciendo compañía a un niño. Nadie le pedía eso. A René nunca se le ocurrió. Cuando había invitados, René era reclamado en el salón a primera hora de la velada. Su madre le rodeaba entre sus brazos. ¿Qué más se podía pedir? René era dichoso.

Pero esa brillante y admirada imagen se derrumbó repentinamente. De la noche a la mañana, el nombre de su madre dejó de pronunciarse y, cuando se volvió a pronunciar, todo había cambiado. No era la misma mujer. Todo lo abandonó y todos la abandonaron. Alguien quitó de las repisas las fotos enmarcadas de Hélène. En la casa no quedó rastro de ella. La censura sustituyó a la admiración que antes llenara el aire. ¿Qué podía pensar René? Su madre se había convertido en una mujer abominable. Frivolidad, irresponsabilidad, ambición, crueldad: esas eran las acusaciones; frases sin terminar dichas en tono de desprecio. René trató de recomponer los días que precedieron al extraordinario cambio. Apenas recordaba que hubiera sucedido nada fuera de lo normal. Su madre había vuelto de un viaje. Al día siguiente, o quizás al otro, ella apareció en su cuarto. Le tendió un paquete. Era un regalo: una pluma de oro con sus iniciales grabadas. René la probó en seguida. Escribía muy bien.

—Me voy a volver a marchar —dijo su madre.

René empezó a protestar, pero Hélène movió la cabeza hacia los lados. Había dejado de sonreír.

—Esta vez no es como las otras —dijo, y René se estremeció ante la gravedad de su madre. Parecía que le costaba un trabajo enorme proseguir—. Voy a volver a casarme.

René no entendía nada pero no pudo preguntar porque vio que su madre lloraba. Se acercó a ella y ella le abrazó. Siguió llorando. Repentinamente, Hélène se enderezó, se secó las lágrimas con un pañuelo y salió del cuarto. Durante mucho rato, René no pensó, no intentó salir de su confusión. La emoción de su madre impregnaba el aire. Su vida había sido sacudida violentamente. Volverse a casar, ¿era eso posible?, ¿qué seguridad existía en el mundo?

La vida prosiguió, sin embargo. Sucedieron días de silencio y, luego, sobrevino un cambio: René fue trasladado a la parte delantera de la casa. Hasta el momento, su dormitorio pertenecía a la parte de atrás, pero se dispuso un cuarto para él, cercano al de su padre. René se incorporó a la rutina de la vida de su padre. Lo acompañaba al teatro y a los conciertos. Cuando venían visitas, deambulaba por el salón, como uno más, y era tratado con toda seriedad. El recuerdo de aquella tarde horrible en que el tiempo se detuvo y la vida hizo una espantosa, ilegible mueca ante sus ojos se fue borrando, haciéndose más vago. Aquella nueva vida tenía sus ventajas, porque todo lo que había deseado en el cuarto de atrás, rodeado de criadas, se estaba realizando. No podía ya sentirse absolutamente feliz, ni siquiera lo intentaba, pero la corriente de aquel nuevo orden le llevaba cómodamente, protegido y mimado por el mundo.

En el colegio, hubo un primer movimiento de conmiseración, pero René percibió, al mismo tiempo, una especie de envidia, porque en los colegios, en esa edad en la que distinguirse es el común sueño secreto, siempre se mira con envidia cualquier singularidad. Alrededor de la cabeza de René se había formado un invisible halo de desgracia. Al final, prevaleció la admiración. Los superiores alabaron su comportamiento, silencioso y digno, y René fue más solicitado que nunca. El señor Dufour aconsejó a su hijo no aceptar demasiadas invitaciones y René le obedeció ciegamente, con lo que se hizo más deseable. Su norma era no pensar, sino vivir, guiándose por las reglas que lo amparaban y que le eran convenientes.

El señor Dufour, más adelante, empezó a interesar a su hijo en ocupaciones menos superficiales: visitas al campo, datos sobre las cosechas; todo lo que constituía la tradición económica de la familia. Nunca en la casa volvió a mencionarse el nombre de Hélène, pero algunas noches René soñaba con ella y la veía reír y llorar, abrazarle y alejarse. No la entendía, no la podía consolar. ¿Quién le consolaba a él? En los sueños, sus propios sentimientos variaban; unas veces, la amaba profundamente y se despertaba enternecido, con lágrimas de felicidad en sus ojos. Otras, en cambio, quería abofetearla, pero nunca se atrevía, y sus puños, al volver a la consciencia, estaban apretados y todo su cuerpo tenso. Aunque esos sueños acabaron por no ser frecuentes y los olvidaba en seguida, sin retener los sentimientos que los inspiraban, René sabía que la desaparición de su madre era lo más importante que le había sucedido y jamás le podría suceder en la vida. Vivía con la certeza de que no habría ya ninguna emoción intensa reservada para él.

2

René tenía veinte años cuando su padre le comunicó que ella había vuelto a la ciudad. Lo anunció durante el almuerzo, añadiendo que deseaba verlo y que él había concertado una cita. René despegó los labios para protestar. Habían decidido por él en un asunto personal. Pero el señor Dufour extendió la mano, taxativo:

—No olvides que es tu madre y le debes respeto. Irás y te comportarás como lo que eres.

El señor Dufour cambió de conversación. Sus ojos azules no delataban emoción alguna. René odió a su padre, que tan celosamente ocultaba sus sentimientos. ¿La habría visto él?, ¿por qué no podía adelantarle qué quería, exactamente, su madre, después de tantos años?, ¿no podía decirle, al menos, si era feliz o desgraciada, si reclamaba ayuda o exigía algo? El hermetismo de su padre era absoluto y René se sintió desesperado. No quería aquella entrevista, no quería volver a enfrentarse con aquella mujer que sólo veía ya en sueños. Pidió permiso y se retiró a su cuarto. En los ojos azules de su padre leyó un débil asentimiento, como si la petición le hubiera cogido desprevenido.

A los dos días de aquel almuerzo, René se presentó en el vestíbulo del Gran Hotel para recoger a su madre. Le temblaban ligeramente las manos y la voz. Pero se dijo que pocas cosas verdaderamente malas podían pasarle ya.

Concentró todos sus pensamientos en seguir a través del vestíbulo, del ascensor, de los pasillos alfombrados, a la mujer que hablaba nerviosamente. Entraron en el comedor del hotel y se sentaron junto a una de las ventanas. ¿Para qué ir a un restaurante si el hotel era el territorio más libre de la ciudad?, había dicho ella. Además la vista que se podía contemplar desde aquellas ventanas era muy hermosa.

René no miraba a su madre con censura sino con timidez y sorpresa. No existía nada entre ambos de lo que poder hablar, porque se desconocían y lo que cada uno recordaba no tenía nada que ver con aquel instante. Ellos también habían cambiado. La conversación transcurría con dificultad. Parecía que nunca llegarían a encontrar algo que les interesara a los dos. Después de sucesivas pausas, tras las cuales muchos temas de conversación fueron dejados de lado, Hélène dijo:

—Tal vez te hubiera gustado, o te hubiera convenido, estudiar en Estados Unidos. Aún no es tarde. Si quisieras, yo podría hacer las gestiones, buscarte alojamiento —su mano buscó los cigarrillos y el encendedor—. No tienes por qué vivir con nosotros. Puedes pensarlo.

René no necesitaba pensarlo. ¿Cómo se le ocurría a aquella mujer desconocida, de gestos nerviosos y aspecto horriblemente vulgar, que él deseara ir a Estados Unidos? ¿Cómo se atrevía a suponer lo que a él le gustaba o le convenía? Negó rotundamente con la cabeza y recordó que su padre le había ordenado que fuera cortés.

—No he pensado en salir de Burdeos, por ahora. Muchas gracias —dijo.

Hélène miró por la ventana; sus ojos se detuvieron en los tejados oscuros de las casas próximas.

—No es fácil este encuentro para ninguno de los dos —dijo, y el humo de su cigarrillo la envolvió. Sonrió levemente. Luego volvió a mirar hacia el exterior—. Es raro estar en tu propia ciudad alojada en un hotel.

Las palabras de Hélène se perdieron entre el ruido de los cubiertos, los vasos, los platos, el murmullo de las otras conversaciones, el ir y venir de los camareros. Terminaron de almorzar. Un sol débil caía sobre las fachadas de las casas.

—¿Qué vas a hacer esta tarde? —preguntó Hélène.

—Pasaré un rato por el despacho.

—Me gustaría saber cuáles son tus costumbres. Muchas veces he pensado en eso. Si tomas una copa antes de volver a casa, si tienes amigos, si cenas siempre en casa. Esas cosas. Seguramente tendrás novia, habrá alguna chica especial.

René hizo un gesto ambiguo. Hélène echó su silla hacia atrás. Encendió otro cigarrillo.

—Ya sé que debe resultarte difícil pensar que soy tu madre, pero me gustaría que pensaras que existo. Puesto que existo —sonrió—. A lo mejor alguna vez puedo servirte de algo —sus manos se movieron dentro del bolso, del que sacó una tarjeta, que tendió a René—. Parece absurdo que tu madre te dé una tarjeta —rió.

René, involuntariamente, sonrió. Fue consciente de la sonrisa que afloró a sus labios y tuvo una extraña impresión. Algo acabada de borrarse; se sintió en el vacío. ¿Qué había sido de su dolor? El mundo que se había hecho pedazos una tarde lejana, ¿había existido alguna vez? Hélène se miraba en el espejo, se pasaba la mano por el pelo, mientras el ascensor se deslizaba por los cables hacia el vestíbulo. ¿Qué podían pensar los huéspedes del Gran Hotel? Eran una madre y un hijo que acababan de almorzar juntos. Estarían de paso en la ciudad. René vio su vida hacia atrás sin entenderla, como si alguien le hubiera dado un dato equivocado.

3

La luz de la tarde hirió los ojos de René. Tenía la seguridad de que su madre pasaría la tarde en el hotel, tal vez esperándole. Resultaba extraño pensar que ella estaba en la ciudad después de aquellos años en los que su nombre se había evaporado. No se había excusado por ellos, como si su conducta no fuera susceptible de ser juzgada. En el rostro de aquella mujer no había remordimientos, sino vida pasada, vida presente, vulgaridad. Buscaba una reconciliación, pero, ¿qué era lo que había que reconciliar? Aquella infancia feliz que René conservaba en su memoria como en una vitrina se deshacía a la luz de la tarde invernal. ¿Había existido aquella infancia feliz? La mujer que gobernaba la casa, que sonreía llenando los salones, estaba ahora en la ciudad, a sus espaldas, sola, acaso triste, acaso desengañada, pero proponía planes, viajes, encuentros.

René sentía algo parecido al desengaño, como si la presencia de su madre en la ciudad viniera a confirmar una idea de continuidad que él rechazaba profundamente. Su experiencia le había inducido a considerar la vida por capítulos, por episodios, y no estaba en condiciones de admitir que un personaje de uno de ellos reapareciera en otro, jugando, además, un papel muy distinto al anterior. Ahora, aquella figura borrosa que lloró en el cuarto de jugar, volvía a cobrar un rostro, un cuerpo. Se había acercado a él con amabilidad, hasta con simpatía, pero sin serenidad.

René no tenía a quién hacer partícipe de esos sentimientos. En las oficinas, más despobladas por las tardes, estarían los ayudantes que llevaban la contabilidad. Recibiría alguna visita, pero el tema de su conversación era conocido y monótono. No tenía amigos con quienes hablar del suceso de aquel día. En su padre no cabía pensar. Jamás habían hablado de cosas íntimas.

En la vida de René había mujeres, existía esa novia a la que su madre había hecho alusión. En eso no se había equivocado. Había una chica en especial, Suzanne, a quien solía ver con frecuencia. No habían llegado a un compromiso formal, pero se vislumbraba la posibilidad de una boda futura. En la mirada de Suzanne se leía una especie de rara bondad, como si hubiera sufrido mucho, lo que no era probable, o quisiera prestar consuelo a alguien. A René le gustaban, sobre todo, las manos pequeñas y frágiles que desaparecían entre las suyas. Suzanne se pasaba muchas tardes sola en su casa, leyendo u ordenando papeles, libros, armarios, y a René le atraía la idea de imaginarla en su propia casa, esperándole a la vuelta del trabajo o de una jornada en el campo. Aquella vida tranquila y apacible que sugería Suzanne le agradaba como un dulce sueño. Con Suzanne en casa, toda la vida quedaba iluminada. Pero nunca había hablado con Suzanne de su madre y no sabía cómo abordar un tema que jamás había tratado.

No obstante, le necesidad guió sus pasos, y, en lugar de encaminarse hacia el edificio gris que desde hacía siglos había albergado las oficinas del negocio familiar, se encontró frente al parque, cerca de la vivienda de Suzanne. Elevó la vista en busca de los balcones que correspondían al salón y, una vez más, la imaginó reposada, ajena a las preocupaciones del mundo, guardada en sí misma, acumulando paz. Nunca se había preguntado si ella le amaba; sólo sabía que abandonaba su pequeña mano entre las suyas y le miraba con aquella reserva de inocencia. Mientras cruzaba la calle se hizo el propósito de lograr una manifestación más segura de su amor aquella misma tarde.

4

La criada comunicó a René que Suzanne no estaba en la casa e inmediatamente una voz ronca, proviniente del interior, se alzó:

—¿Quién pregunta por ella? ¿Quién es?

La doncella tomó aquellas palabras como una orden de cerrar la puerta con el visitante dentro de la casa. Lo hizo muy lentamente, con la cabeza inclinada hacia el suelo, aunque no contestó a la pregunta. Dijo después a René en un susurro:

—Espere un momento, voy a informar al señor.

Mientras lo hacía, René pensó en abandonar la casa, pero las voces sonaban demasiado próximas. Se quedó inmóvil, en el centro del vestíbulo, hasta que la doncella regresó y manifestó que el señor estaba en la sala y deseaba hablar con él.

René entró en el salón. En señor Bernard hizo con la mano un gesto, invitándole a tomar asiento.

—Así que es usted amigo de mi hija —dijo.

René asintió.

—Estas niñas educadas en colegios de monjas no sirven para mucho —siguió el señor Bernard—. Saben hacer vainica y cantar la salve, pero todo son gritos y exclamaciones de asombro cuando llega el momento de la verdad.

El señor Bernard estaba borracho. Se hallaba sentado de forma muy digna en una butaca. A su derecha, sobre una mesa, había una botella y un vaso de cristal que, sin duda, contenían vino. Pero nada más: ni una revista ni un libro a mano. Daba la impresión de llevar muchas horas en aquella posición. Sus ojos grises brillaban, no de vida, sino de lágrimas que no tenían fuerza de brotar.

—Tome una copa, muchacho —invitó, y señaló un aparador donde había un buen número de ellas.

René le obedeció. Luego, ambiguamente atraído por el borracho, se sentó enfrente suyo.

—¿A qué se dedica usted? —preguntó el señor Bernard, e inmediatamente cortó la explicación de René—. Tiene usted una vida agradable, organizada, por lo que veo. No sé para qué necesita casarse. Si yo llego a saber lo que es el matrimonio, créame, joven, ni siquiera lo hubiera intentado. No permita que una mujer entre en su casa. No dejan nada en su lugar. Dios Santo, se aburren y se ponen a hacer cosas absurdas, lo que sea. Cambiar los muebles de sitio, renovar las tapicerías. Ellas se entretienen, pero le aburren a uno. Le aburren mortalmente.

René miró al señor Bernard con más atención. ¿Y si no estaba tan borracho? Pero esas cosas no las decía nadie que estuviera sobrio. Su voz grave resonaba en la sala. Una hermosa habitación, limpia, amplia, llena de objetos. ¿En ella leería Suzanne? A diferencia de lo que ocurría en su casa, donde ningún marco descansaba sobre las repisas, en aquella, multitud de fotos familiares cubrían las cómodas, las mesas, las estanterías. René las estaba mirando cuando el señor Bernard volvió a hablar:

—Yo ya soy abuelo. ¿Conoce usted a mi hija mayor, Clarisse? Una joven extraordinaria —suspiró—. Ella era diferente, sabía hablar, sabía interesarse por los demás, no pensaba únicamente en bodas, noviazgos y cortinas. Pues bien, ahí la tiene usted, rodeada de su madre, su suegra, sus tías, organizándole la vida. Un espectáculo deprimente. Pobre muchacha.

René recordó a Clarisse y cuanto Suzanne le había dicho de ella. Era, un poco, su modelo. Se removió, inquieto, en la

butaca. Clarisse acababa de tener un hijo y Suzanne, al comunicárselo, había puesto una mirada soñadora. René empezó una frase de despedida.

El señor Bernard agitó su mano en el vacío y dijo:

—Nada, muchacho, haz lo que tengas que hacer. No pierdas el tiempo con un abuelo. Aunque te voy a dar un consejo —su espalda se despegó del respaldo de la butaca y cayó hacia delante—; aprende de la experiencia ajena. No tiene sentido que todos nos equivoquemos de la misma forma —sus ojos húmedos se fijaron, con expresión de irresistible lógica, en René que, cortésmente, agradeció el consejo y se levantó.

Empezaba a oscurecer. A pesar de que el señor Bernard estaba borracho, posiblemente deprimido por el hecho de ser anciano y abuelo, sus palabras le habían impresionado. Una parte de su ser rechazaba a aquel hombre, como toda persona sobria rechaza a un borracho, pero su parte más conmovida, la que le había llevado a buscar consuelo en Suzanne, se sentía atraída por él o, más precisamente, afín. No pensaba ya en la tranquilidad que prometía el rostro agradable y soñador de Suzanne, sino en tenerla entre sus brazos, conseguir que, ella también, sintiera esa inexplicable e intolerable conmoción de la vida.

5

El portero del viejo edificio de las oficinas familiares le saludó con un leve movimiento de cabeza. Sólo quedaba ya uno de los empleados. Probablemente, había pensado que ya no aparecería, de forma que dedicó a René una mirada de remoto fastidio.

Detrás de los cristales caía la noche. El río, ancho y liso, se iba poniendo más y más oscuro. El puente de piedra trazaba una línea rosada sobre él. Era una vista hermosa, conocida. Al otro lado del puente, el río daba una vuelta y se perdía.

Leyó las cartas que tenía sobre la mesa, firmó unos papeles, tiró otros. El empleado entró a despedirse. La tarde había pasado, una vez más. La soledad, el silencio y la oscuridad tomaron posesión del edificio. El portero se habría marchado, también, a su casa. Abajo, en los almacenes, tampoco debería quedar nadie ya.

René vio la vida que se extendía ante él: ver concluir la tarde desde aquel cuarto, un día tras otro, sin esperar nada, no sintiendo más que desaliento y confusión. Se sentía ajeno a su padre, a su madre, a Suzanne, a los amigos con quienes hablaba o se divertía. Las manos le temblaban y se sentía enfermo, pero algo le impedía levantarse y salir del despacho, bajar las escaleras y encaminarse hacia su casa. No era a su casa a donde quería ir. Últimamente, no veía a su padre por las noches. El señor Dufour regresaba tarde del Casino, donde consumía puros en compañía de sus amigos y se quejaba, sin demasiada violencia, de las manos que gobernaban el mundo.

Pero a René no le importaba la marcha de los acontecimientos mundiales, ni siquiera los de su propio país, que podían afectarle.

Casi sin darse cuenta, sin consultar su reloj, René abandonó el edificio y se encaminó hacia el puente. El agua oscura del río estaba lejos, brindando un frío refugio. Cuando regresó al centro de la ciudad, pensó que esa noche tendría entre sus brazos a una mujer. Nunca había tenido esa experiencia. En sus estancias en el campo, una joven se le había ofrecido, pero él no se había decidido, dominado por la timidez. Se dirigió hacia la parte vieja de la ciudad, hacia la calle donde podía encontrarse con toda facilidad ese tipo de comercio. Estaba nervioso, lleno del deseo de tener una mujer bajo su cuerpo.

Entró en un local estrecho, iluminado por una luz rojiza en la que flotaba el humo de muchos cigarrillos. Una chica se le acercó en seguida.

—¿Buscas algo? —preguntó, estrechando levemente el cuerpo de René contra el suyo.

Entraron en una habitación. La mujer soltó la mano de René y señaló la cama. René se sentó en ella y esperó. Cuando se atrevió a mirar la cara de la mujer, enmudeció de asombro. Había supuesto que iba a encontrar una expresión de cinismo o desengaño, pero se encontró con unos ojos transparentes. Aquellos ojos tenían el color del mar.

Aquella experiencia fue más sencilla de cuanto había imaginado. Unas nuevas puertas se abrieron ante él. El mundo del deseo, de la satisfacción, aparecía ante sus ojos por primera vez de forma accesible.

La chica, a su lado, comentó contenta que las cosas habían ido bien. Era comunicativa. Contó cómo solían ser aquellas primeras experiencias y las diferencias que iban de un hombre a otro. A ella le había gustado René desde el primer momento: parecía un muchacho bien educado. Se casaría con una chica rica y bonita y se convertiría en un caballero respetable.

René protestó. No le gustaba la idea de ser como todos esos hombres que la chica conocía. No quería ser clasificado.

Una vez en la calle, ya invadida por la noche, se dio cuenta de que desde el almuerzo no había probado bocado. Entró en una taberna y comió con avidez. El hombre que le servía se permitió bromear:

—¿De dónde has salido tú, muchacho? ¿Te han tenido una semana sin comer?

Alguien se rió y René, con la boca llena, los miró, asintiendo.

El día acababa bien. Hacía frío y se veían las estrellas. Las calles estaban hundidas en el silencio. René buscó las llaves al fondo del bolsillo de su abrigo. Su ruido metálico sonó en la noche.

6

Sobre la mesa, la luz de la lámpara proyectaba un círculo brillante de luz. El resto de la habitación se iba hundiendo en la penumbra. El señor Dufour tenía los ojos fijos en el timbre blanco que reposaba a un lado de la mesa. Al fin, se decidió a presionarlo. A los pocos segundos, un hombre mayor, cubierto con un guardapolvos gris, entró en el despacho.

El empleado miró al jefe con un velo de apatía en los ojos. Parecía habituado a entrar una y otra vez en aquel despacho para recibir las mismas órdenes. El señor Dufour le hizo unas preguntas rutinarias que él contestó en un tono monótono.

—¿Tiene algún problema, Jullian? —preguntó, inusitadamente, el señor Dufour.

—¿Problema? —repitió, titubeante, Jullian—. No, señor, los de costumbre. Nada especial. Quiere decir, ¿en mi casa?

—En su casa o aquí, con los otros empleados. Alguna desavenencia, algo que no funcione bien.

Los ojos apagados de Jullian se animaron, con extrañeza.

—No sé lo que quiere decir —contestó, confuso—. Todo está como siempre.

—Me alegro, me alegro —dijo el señor Dufour—. Me pareció que algo le preocupaba. Si no es nada, mejor.

—¿Tiene usted alguna queja? —preguntó, dolido, Jullian.

—En absoluto. Olvídelo, Jullian. Me alegro de que todo marche bien.

Pero no era fácil que Jullian olvidara las sospechas del señor Dufour una vez que habían sido formuladas. Inició una lamentación sobre la cantidad de años que llevaba trabajando con la familia como si en aquel momento le pesaran. El señor Dufour le interrumpió, tajante, e hizo un gesto con la mano que expresaba su deseo de alejar de sí todo cuanto había sido mencionado y, más que nada, a Jullian.

De nuevo solo, el rostro del señor Dufour adquirió una expresión de preocupación. Nunca había surgido en la empresa un problema de esa especie: había desaparecido una fuerte suma de dinero de la caja. No había más que tres personas que tuvieran acceso directo a la caja: Jullian, su hijo y él mismo. Descartado Jullian, sólo quedaba René.

Nunca había creído que Jullian tuviera esa debilidad. De haber sido él, lo habría notado en el díalogo reciente, y Jullian había sido el hombre de siempre: un hombre abrumado por su tarea, su familia y su poca fe en el género humano. Lo conocía desde hacía muchos años y no sentía gran simpatía hacia él, pero era fiel y necesario. No era generoso ni mezquino y nunca se saldría de la norma, no por respeto, sino por desconfianza en las ventajas que pudiera acarrear su incumplimiento. Era un hombre sin demasiada bondad y sin imaginación.

El señor Dufour volcaba toda su capacidad de análisis sobre Jullian por no pensar en su hijo. De su hijo no sabía tanto. Había sido difícil para él tratar de que aquel hijo no viviera su situación como dramática. Dadas las circunstancias, había sido introducido en la vida adulta un poco demasiado pronto. Las relaciones del señor Dufour con la familia no habían cambiado tras la desaparición de Hélène y, a pesar de las ofertas, ninguno de sus miembros femeninos se había hecho con las riendas del hogar. Tenía una hermana soltera y una madre viuda, que habían tratado, no muy convencidas, de establecerse en la casa. Ese punto de su programa había salido bien: René no parecía, hasta el momento, sentir lástima hacia su propia vida. Era un muchacho —aunque ya no era del todo apropiado llamarlo así— de aspecto saludable, bien parecido, a quien le gustaba trabajar, tener amigos y divertirse. Todo normal. Pero el señor Dufour se decía, examinándose las manos bajo el foco de luz y acariciando el cuero que cubría la mesa, que ese punto había sido su único programa y aun comprendía que el programa, más que para René, había sido elaborado para sí mismo. Había sido él quien se había rebelado contra la idea de que sus conocidos le compadeciesen, quien se había esforzado por mostrar en público aquella apariencia de impasibilidad, tratando de negar un hecho que, tal vez, era la causa remota de aquel desagradable incidente. ¿Por qué René, si lo necesitaba, no le había pedido aquella suma de dinero? Era elevada, pero no tanto como para que no le fuera posible dársela.

Había algo, además, que tampoco podía saber: si era la primera vez que lo hacía o si se trataba de un hábito que, en esta ocasión, había llegado más lejos. ¿Cómo podía estar seguro de que ese acto no obedecía a una tendencia iniciada tiempo atrás? El señor Dufour no era excesivamente riguroso con las cuentas domésticas y siempre concedía un margen de error cuando las repasaba con el ama de llaves, admitiendo que no se recoge todo lo que se siembra. Tal vez René, desde pequeño, había realizado aquellas sustracciones cuyo último eslabón él acababa de descubrir.

En aquel momento René se encontraba en el campo y eso le aliviaba, pues podía meditar con cierta tranquilidad sobre la situación. Había algo en la vida de René que no le gustaba, aunque no lo entendía demasiado bien: no se había casado y todo hacía pensar que no se casaría. Hasta el propio señor Dufour habían llegado rumores de rupturas sentimentales que conformaban esa imagen de René. En la actualidad, había mujeres en torno suyo; algunas veces eran ellas quienes lo llamaban o lo pasaban a recoger. Como era natural, René se había ido quedando aislado o en confusa compañía. Los chicos más formales se habían casado, no salían de noche ni organizaban viajes. No era él la persona más indicada para aconsejarle que siguiera el ejemplo de sus amigos. No era hipócrita hasta ese punto, pero sabía que una vida de soltero está objetivamente expuesta a más peligros. Las mujeres que había vislumbrado tras la verja tenían, algunas, más edad que René. Había visto a una mujer que conducía un automóvil que casi le doblaba la edad. Comprendía el atractivo que para un joven supone una mujer mayor que él y la seguridad íntima que tales aventuras proporcionan, pero hubiera querido advertir a su hijo acerca de sus riesgos. No eran esas conversaciones que debieran tenerse entre un padre y un hijo y, al fin, lo que uno aprende en ese terreno es siempre fruto de la propia experiencia. El señor Dufour optaba por el silencio. En su fuero interno, se decía que, si esa suma de dinero estaba relacionada con una mujer, enfocaría el asunto con benevolencia.

En el mundo había más peligros. Todas las noches, en la tertulia del Casino, se les pasaba revista. El panorama era desalentador. Había turbios negocios y oscuras operaciones, cárceles y miseria. El señor Dufour sabía bien sobre qué parcela del mundo tenía puestos los pies. Podía tolerar que su hijo no se resistiera a un amigo descarriado o a una mujer hermosa, pero no que se convirtiera en un delincuente. Al delincuente lo aplasta la sociedad. Cuando el señor Dufour pensaba en la sociedad, se representaba una maquinaria complicada y pesada que no se detiene a pensar una vez puesta en movimiento. Entre-Dos-Mares era un territorio que se había preservado, hasta cierto punto, de los diabólicos adelantos del mundo y de sus perversiones. Allí las cosas se venían haciendo de forma casi invariable a través de los años. El vino era algo saludable, hecho para alegrar a los hombres y algo que ofrecía la tierra. El señor Dufour había escuchado este razonamiento cientos de veces en el seno de su familia y no se detenía a analizarlo. Era un dogma.

Aquella suma sustraída podía significar que René se había salido del territorio. La belleza, dulzura y fertilidad que ofrecía Entre-Dos-Mares constituían un refugio seguro contra la maquinaria de la sociedad. Eso era lo que oscuramente temía el señor Dufour: ¿qué protección podía prestar a su hijo fuera de ese terreno? Todo se acaba en la vida; la riqueza y sus privilegios, y hasta la sensibilidad y el gusto por la belleza, que tan costosamente se adquieren, se pueden venir abajo de la noche a la mañana por un paso equivocado, por un mal golpe de suerte. Todo cuanto se tiene y se disfruta puede, de pronto, verse sustituido por la única obsesión de sobrevivir, de mantenerse en pie. El señor Dufour había tenido ocasión de contemplar de cerca algunos casos: balas perdidas que se disparan al vacío causando, sobre todo, su propia catástrofe. Y dejan en los demás la huella de su desgarro.

El señor Dufour miraba, sin verlo, el interior de su hijo. Dada la naturaleza de sus relaciones, nunca se habían producido situaciones que dejaran al descubierto ese interior. ¿Qué escondía el bien proporcionado rostro de René? Su mirada era directa. Era educado y cortés, trataba correctamente a los subalternos y nunca decía una palabra de más. No era un joven brillante, pero tampoco mediocre. Físicamente se parecía a su madre, aunque él no le tenía rencor por ello. Desde hacía tiempo, el señor Dufour no dedicaba un solo pensamiento a su ex mujer. Había conseguido borrarla de su vida. Siempre le había resultado ajena. Su necesidad de acción, de estar siempre en el centro de todas las actividades y reuniones sociales, no era compartida por él. Se había casado enamorado, pero en seguida había descubierto que Hélène no era la mujer indicada para proporcionar paz a su temperamento. El sólo hubiera deseado paz. Pasada la humillación y el dolor del abandono, había recobrado la paz. Aunque su orgullo había sido pisoteado para siempre; ella se había negado a dar las explicaciones que él le había pedido. En un momento de vivo odio, de resentimiento, él le había exigido todos los detalles: cuándo había empezado la historia, dónde, cómo. No había obtenido nada. Había sido una despedida fría. A los dos meses de la marcha de Hélène, recibió la carta de su abogado: se le comunicaba que con esa fecha se había abierto en un banco suizo una cuenta a nombre de René Dufour y que la señora Hélène Skalnick ingresaría mensualmente en ella cierta cantidad de dólares. Se necesitaba la aprobación del padre. No dudó en darla: era mejor tener dinero en este mundo de calamidades. Sólo se le pedía una cosa: informar regularmente acerca de la salud y la marcha de la educación del joven. El señor Dufour había cumplido su parte.

Hélène habia sido menos molesta después del abandono que antes de él. Había algo que había variado sensiblemente: su posición en la sociedad, y aun en este sentido podía decirse que su actual vida social le proporcionaba más satisfacciones y era más acorde a su personalidad que la anterior.

Fatigado de tanto pensar, íntimamente decepcionado y poco dispuesto a asumir sus deberes de padre, el señor Dufour decidió olvidarse momentáneamente del asunto. Pasara lo que pasara, él mantendría su dignidad, heredada y respetada. Él representaba algo y se debía a sí mismo ese respeto. No era muy dado a pensamientos religiosos, aunque, camino del Casino, pensó: «Dios sabrá por qué hace las cosas.» Eso le eximía de responsabilidades y le permitía entregarse a una lánguida y desganada conversación sobre temas trascendentes. Su paso se fue aligerando, como su humor, y subió las escaleras del Casino con un trotecillo breve, por lo que el portero, con quien siempre intercambiaba algunas frases, le dijo en tono adulador:

—Usted siempre tan joven y ligero, señor Dufour.

En el rostro anguloso del señor Dufour se dibujó una vaga sonrisa de misterio, como si hubiera un secreto para mantenerse con aquella agilidad.

7

Unos días antes de que el señor Dufour hubiera advertido aquel desajuste en las cuentas, René había tenido un encuentro inesperado. A la salida del teatro, al que había acudido solo, un hombre, a quien de momento no reconoció, se acercó a él, saludándole con entusiasmo. Era un hombre demacrado, de baja estatura, mal vestido. Hablaba de prisa y miraba hacia el teatro, alabando las virtudes del primer actor.

René cayó en la cuenta de la identidad de su interlocutor. Era el pequeño Henri Combart, un muchacho muy listo, de raras y variadas aptitudes. Cómo había cambiado. Se diría que la vida no había sido muy piadosa con él, aunque sus ojos seguían teniendo aquel brillo, algo diabólico, de los tiempos del colegio.

—Ven —dijo Henri, algo excitado—, vamos al hotel. Mi mujer me está esperando. Ella no ha podido acompañarme al teatro. Acaba de dar a luz. ¡Se alegrará tanto de conocerte! Le prometí regresar en seguida —Henri había tomado a René por el brazo y lo empujaba hacia adelante—. Le he hablado tanto de nosotros, de nuestra vida en el colegio y de los juegos en la calle. Te gustará. Bianca es una mujer única. Estoy loco por ella. Me ha enseñado lo que es la vida. Hay mujeres que merecen la pena y yo he tenido esa suerte: he dado con una de ellas —Henri hablaba como si no acabara de dar crédito a sus propias palabras y necesitara convencer a René, a quien seguía reteniendo—. De dinero no andamos muy bien, esa es la verdad. Pero vivimos como nos gusta. Eso es lo que importa. Bianca es actriz —declaró con admiración—. Una actriz con una carrera magnífica. Ahora no puede actuar porque está criando al niño y eso le pone muy nerviosa.

René no halló palabras con que excusarse y se dejó llevar por Henri. El hotel en el que el matrimonio Combart se alojaba era una sórdida pensión próxima al puerto. Henri señaló, disculpándose, las paredes desconchadas del hueco de las escaleras:

—No es un hotel de lujo, desde luego, pero a Bianca no le importa. Ella es feliz así, de ciudad en ciudad, entrando en un hotel, saliendo de otro. Una vida un poco bohemia.

René tuvo la visión de la señora Combart, tan devota y amiga de aparecer con frecuencia por el colegio para ayudar en ceremonias y funciones religiosas. Rígida, antipática y cargada de hijos de mirada inquieta, ¿qué hubiera dicho de la vida que llevaba su primogénito?

Henri empujó una de las puertas que se sucedían a ambos

lados de un estrecho pasillo e hizo que René lo precediera mientras decía:

—Tenemos visita, querida. Uno de mis mejores amigos del colegio, René Dufour. Un hombre verdaderamente original.

René se apresuró a besar la mano de una mujer sentada en actitud indolente en un sofá. Se sintió cohibido por el ambiente —el cuarto era pequeño, pobremente vestido y muy desordenado— y recordó las enseñanzas de su padre: guardó celosamente las formas. La mujer, más echada en el sofá que sentada, cubierta a medias por una bata de raso, no se movió; extendió la mano que besó René al tiempo que la bata se abría mostrando un hermoso, blanco y henchido seno que estremeció a René.

Henri se aplicó a la tarea de buscar vasos por toda la habitación, de servir después en ellos el vino de una botella y de repartirlos. Mientras lo hacía, hablaba con voz alta y nerviosa: la función había sido extraordinaria, Gerald se había superado a sí mismo, se encontraba en lo mejor de su carrera, complejo, maduro, y dueño de una asombrosa seguridad.

—En seguida estarás en condiciones de acompañarle, querida —dijo a Bianca—. Seréis la mejor pareja que haya existido.

Bianca se había incorporado ligeramente. Unas largas piernas quedaron al descubierto. El escote permitía contemplar el nacimiento de los senos. René luchaba por no quedarse con la mirada fija en aquel cuerpo.

—¿Y el pequeño? —preguntó Henri.

—Está dormido —dijo Bianca, y su voz llenó el aire; su acento era dulce, melodioso—. Es mejor que no arméis jaleo.

Henri bajó la voz, pero no dejó de hablar; de su infancia, de sus amigos, de René. Los ojos oscuros de Bianca examinaron a René.

—¿Fueron al colegio juntos? —preguntó.

René asintió.

—Cuando te conocí —dijo Bianca, dirigiéndose a Henri— no tenías un aspecto tan elegante.

Henri movió la cabeza mirando hacia el suelo, disgustado.

—Ya te he dicho que no me habían ido muy bien las cosas, aunque mi familia pudo haberme ayudado. Nunca lo creíste.

Se escuchó el llanto de un niño. Los ojos de Henri se iluminaron. Ordenó a Bianca que no se moviera y salió de la habitación. Regresó sosteniendo con orgullo un recién nacido entre sus brazos.

Bianca se había desnudado el busto. Los senos grandes, que recorrían finísimas venas azules, caían hacia el regazo cubierto por la bata.

—Dale a Bianca la almohada, René —dijo Henri en tono de urgencia.

René dejó la almohada en las manos de Bianca. Ella se la puso bajo los senos y Henri acomodó al pequeño en la almohada. La boquita del niño se agarró al pezón oscuro. Todos contemplaron la operación. Los ojos de Bianca, en aquel momento carentes de expresión, se elevaron hacia René. Jamás había contemplado René un espectáculo como aquel. Había visto en el campo a madres amamantando a sus hijos, pero no en un lugar como ese, no una mujer como aquella. Henri hablaba en susurros para no distraer al niño, pero René había dejado de escucharle.

Cuando la operación de alimentar al niño terminó, Henri se levantó sigilosamente y se lo llevó con cuidado. Bianca volvió a ponerse la bata. René no podía apartar sus ojos de ella. Sus pechos se movían, menos plenos y aún más hermosos. Era difícil reprimir el deseo de tocarlos. Aquella mujer emanaba una sensualidad aguda, dolorosa.

Henri volvió. Sus ojos brillaban de satisfacción. Se movía nerviosamente por el cuarto.

—Si no necesitas nada, acompañaré a René a su casa —dijo.

Bianca negó con la cabeza. Luego pidió:

—Acércame la colonia y el peine.

Henri lo dejó todo sobre una mesa baja, junto al sofá. Se inclinó y besó la frente de Bianca. Prometió regresar en seguida. René se despidió, azorado y torpe.

En la calle, se dejó guiar por Henri, todavía afectado por la escena que acababa de presenciar. Sobre ellos caía una suave llovizna. Entraron en un bar y se sentaron en un apartado.

—Por el amor de Dios, René —dijo de pronto Henri—, sé sincero conmigo: ¿qué te ha parecido?

—Es un niño estupendo —dijo René—. Yo no entiendo nada de recién nacidos, pero se le ve muy contento, muy sano.

—¡Dios Santo, yo no estoy hablando del niño! —exclamó Henri, que había heredado de su madre la afición a mencionar nombres sagrados—. Es ella, Bianca —insistió con ansiedad—. Dime qué te parece. Dime exactamente lo que pienses.

René tragó saliva. Estaba pensando en ella. No había dejado de pensar en esa mujer desde que la había visto, aunque pensar no era la palabra adecuada. Se le había metido en la piel.

—Es muy bella —dijo.

—¿Bella nada más? Por favor, eso no es decir nada. Hay cientos de mujeres bellas en el mundo. ¿No puedes ser más preciso? ¿No crees que es una mujer que te hace sentirte hombre? Una mujer para... ¡Santo Cielo!, para hacerlo constantemente —miró a su amigo con ojos febriles—. Dime la verdad, ¿no lo crees así? ¿No has sentido tú algo de eso?

René luchaba entre la educación y la sinceridad a la que era empujado.

—Comprendo que estés orgulloso de ella. Es una verdadera mujer. Reconozco que... —se detuvo.

—¿Qué? ¿Qué es lo que reconoces?

—Si no fuera tu mujer, habría pensado en ello, claro —concluyó, satisfecho de haber dado con una fórmula.

Henri adquirió un aire de desesperación.

—Claro que es mi mujer, pero no estoy orgulloso, te lo aseguro. Soy un miserable. Vivo sólo para ella, para sus caprichos. Dios mío, no sabes lo desgraciado que soy —se cubrió la cara con las manos y se echó a llorar—. Estoy perdido, anulado. ¿Sabes por qué hemos venido a Burdeos? Por ese maldito actor, Gerald. Ni siquiera es bueno, te lo aseguro. Son amantes y tenemos que seguirle a donde vaya. Hace de mí lo que quiere. Mi vida es un infierno.

—¿Cuándo lo descubriste? —preguntó René.

—¡Pero si lo sabía! —gritó, más desesperado aún, Henri—. ¡Si ella me lo dice todo! Eso es lo peor. No puedo acusarla de nada. Soy yo el culpable, yo, que lo admito.

—¿No has intentado dejarla?

—Claro que lo he intentado, pero ahora no podría. Ese niño es hijo mío. Tengo que cuidar de él.

—Tal vez podrías llevártelo contigo.

—¿Y a dónde voy a ir? Yo también trabajo con ellos. No tengo a dónde ir. ¿Y sabes lo que pasa ahora? —preguntó, completamente roto—. Ahora es peor que nunca. Él le da dinero y ella me desprecia porque él gana más que yo. Y si no le doy dinero no me deja... Bueno, no puedo ni tocarla. Dime, ¿qué voy a hacer? Estoy hundido.

—Deberías tener voluntad y salir de ese ambiente —dijo René.

—¿Es que no lo comprendes? —gimió Henri—. Yo ya no tengo voluntad.

—Tienes que luchar. No puedes dejarte tratar así.

—Yo no soy un hombre, René.

El abatimiento de Henri parecía propagarse por el aire. René, de repente, tuvo dificultades para respirar. Habían terminado sus copas y llamó al camarero, haciendo ademán de retirarse. Se puso en pie.

—Yo me quedo —dijo Henri—. Voy a tomar otra copa.

René pagó la cuenta y salió a la calle. Desde allí, involuntariamente, miró hacia el interior del bar: Henri tenía los ojos fijos en la mesa. René trató de apartar aquella imagen de su cabeza. Detrás de ella, se escondía otra: la de Bianca con la bata de raso sobre el regazo. Esa escena no consiguió borrarla.

8

René había llegado a un acuerdo implícito con las mujeres. Parecía evidente que no se iba a casar. El noviazgo con Suzanne nunca había llegado a formalizarse y al fin se había deshecho. Entonces había entrado en juego Fanny. Era una joven atractiva e inteligente que se había enamorado de René nada más conocerlo, aunque poco a poco había ido renunciando a la idea de casarse. Sus padres eran propietarios de una cadena de perfumerías y ella les ayudaba en el negocio. Sabía vestirse, moverse y desenvolverse en el mundo. René no era su único pretendiente. A Fanny le gustaba alimentar ilusiones, pero todos sabían que era básicamente fiel a René.

René no sabía si amaba a Fanny, aunque la quería. Era agradable estar con ella. No presentaba complicaciones. No requería de él ningún juramento.

René no contó a Fanny su encuentro con Henri Combart y la honda impresión que le había causado porque se sentía demasiado confundido y sabía que, fundamentalmente, era por aquella mujer, Bianca. El juicio de Fanny solía ser simple y taxativo. Él prefería los matices, las evasivas. El aroma de aquella mujer, el desorden que imperaba en el cuarto, la languidez de sus movimientos: todo ello le impedía pensar correctamente.

Lejos, muy lejos en el pasado, quedaban las ilusiones perdidas, el mundo al que se ha ido renunciando poco a poco a favor de la comodidad y el egoísmo. Pero, a veces, un destello de ambición, una sed de originalidad, de rebeldía, le sobresaltaba en medio de la noche, impidiéndole dormir. Su deseo de poseer a Bianca nacía de esa insatisfacción. El anhelo de hacer algo distinto al resto de los seres, la pretensión de guardar dentro de sí una llama de singularidad que alguna vez habría de darse a conocer provocando asombro y admiración, se habían ido apagando conforme los pequeños éxitos de su vida profesional, social y amorosa se habían ido sucediendo con continuidad, formando una barrera entre los sueños y la voluntad. Se sentía oscuramente intrigado por esa mujer, en la que, en su imaginación, se mezclaban los deseos satisfechos y el más exacerbado egoísmo. Aquella vida irregular, de amores turbulentos, representaba para él la pasión que nunca había existido en la suya, la transgresión.

No le sorprendió la llamada de Bianca. La promesa de un próximo encuentro había quedado tendida entre ellos, mientras Henri daba vueltas por el cuarto. La dulce cadencia de la voz de Bianca iba diciendo todo aquello en lo que René había pensado: proponía una cita.

Cuando colgó el auricular y la emoción le dejó pensar, René trató de penetrar en las razones últimas de aquella llamada o en las razones que habían empujado a Henri a llevarlo a su casa y mostrarle a su mujer para luego quejarse de ella. René buscó en su memoria las claves que le permitieran descifrar la personalidad de Henri Combart. Henri era el mayor de siete hermanos que debían llevarse poco más de nueve meses entre sí. Se parecían mucho y constantemente los profesores les adjudicaban un nombre equivocado. Ellos alardeaban de sacar enormes ventajas de tales equívocos y contaban montones de anécdotas para probar su privilegio.

No había existido amistad entre René y Henri pero, dada la tendencia a la teatralidad de Henri, René había disfrutado de aquellas situaciones en las que el mayor de los Combart se convertía en el centro de la clase, consciente de la envidia que producía su desparpajo. Esa había sido la cualidad más sobresaliente de Henri Combart, como no fuera que además se las arreglaba bastante bien para ir aprobando curso tras curso todas las asignaturas sin estropear demasiado los libros. Todos los Combart lo hacían. El progenitor, un notario de gran prestigio, tenía fama de ser excepcionalmente listo y sus hijos daban por sentado que habían heredado de forma natural una porción de su inteligencia.

Pero resultaba difícil relacionar aquella figura de cierta excentricidad con el hombre prematuramente envejecido y trastornado que acababa de encontrar. Había pasado sin transición del entusiasmo a la lamentación. Había reconocido su degradación y su impotencia y sus ojos habían mirado a René implorando piedad. René se había debatido entre la compasión que le producía contemplar tan de cerca su vida miserable y la inmediata necesidad de alejarse de él.

La llamada de Bianca resucitó esa imagen. Su cálida voz todavía resonaba en su interior. A pesar del cuadro nada alentador que Henri había esbozado de su vida con ella, René deseaba verla. La interpretación de los hechos realizada por Henri no tenía por qué ajustarse estrictamente a la realidad.

9

Acudió a la cita con Bianca confuso y nervioso. Cuando la vio aparecer por la puerta del bar, su interior se paralizó. Todos se volvían para mirarla. Avanzaba segura, radiante, con el ritmo que marcaban sus elevados zapatos de tacón. Produjo en René miedo y deseo intensos: ya no era la mujer indolente con la bata echada sobre su cuerpo. Se sentó frente a René y le sonrió. Pidió una copa y le preguntó si era cierto cuanto Henri le había contado acerca de su infancia. René contestó vagamente: no sabía lo que Henri le habría contado. Sin embargo, Bianca insistió. Miraba a René con curiosidad y le sometió a un pequeño interrogatorio. Un poco más satisfecha —las respuestas de René encajaban con la imagen que se había hecho de él—, su mirada ya no reflejó tanto curiosidad como vagas proposiciones. Encendió un cigarrillo y habló de sí misma: le habían prometido que dentro de unos meses le darían el primer papel femenino en la compañía, pero no se fiaba. Estaba dispuesta a conseguirlo por todos los medios; podía obligarles. René se preguntaba cómo.

El camarero trajo nuevas copas. Bianca seguía hablando. Sus rodillas se encontraron debajo de la mesa y sus manos se rozaron. Bianca retuvo la mano de René. Salieron a la calle y tomaron un taxi.

Bianca se sentó al borde de la cama. El pelo le caía en desorden alrededor de la cabeza, rozando sus hombros. René la contempló, apoyado en la almohada. Todavía le inquietaba su belleza.

—Necesito dinero —dijo Bianca—. Para mí y para el niño. Voy a dejar a Henri. Es una tortura vivir con él.

Era la primera vez que hablaban de Henri y, aunque René no hubiera querido saber más, Bianca expuso su vida con él. Celos, envidia, mezquindad, despotismo; urdía historias absurdas para retenerla, la amenazaba con matarla si lo dejaba. Ella no le tenía miedo, pero dependía de él por el dinero. Lo encerraba en un cajón y se llevaba la llave. Él mismo compraba la comida. Bianca no lloraba, no sentía lástima de sí misma. Reclamaba un derecho. Sus ojos oscuros brillaban; no se podía saber si había sinceridad en ellos, pero sí resolución.

—¿Cuánto necesitas? —preguntó René.

—Más de lo que podría pedirte.

René se levantó de la cama. Se vistió lentamente. Bianca se peinó, se puso los pendientes y el collar. De repente, la realidad se había impuesto, separándoles. La ardua lucha por la supervivencia, en la que es difícil saber quién tiene la razón, estaba presente en el cuarto con más peso que el deseo satisfecho.

—¿Tienes prisa de regresar a casa? —preguntó René.

Bianca negó con la cabeza.

René se dirigió a paso ligero al edificio de oficinas donde tantas generaciones habían labrado su fortuna. Actuó sin miedo, sin escrúpulos, como si estuviera haciendo algo que no tuviera más remedio que hacer, algo que escogía voluntariamente para cumplir un destino. Abrió las puertas, abrió la caja fuerte. Tomó el dinero y lo guardó en la chaqueta. En las calles solitarias, se cruzó con otros viandantes que andaban con la misma prisa que él.

No había ninguna razón para haber recorrido las calles con aquella prisa. Cuando llegó a la habitación donde le esperaba Bianca, se sentía fatigado. No se sentó. Sacó el dinero del bolsillo interior de su chaqueta y lo dejó sobre la mesilla. Los ojos de Bianca miraron con asombro los billetes envueltos en una gruesa cinta de goma, pero no los cogió. Se acercó a René. Parecía alarmada y agradecida. Sin embargo, ninguno de los dos inició el beso o el abrazo.

René regresó a su casa lentamente. Sólo cuando atravesó el umbral de la puerta se reprochó no haber sabido encontrar las palabras o el gesto de una despedida.

10

Desde el mirador de su cuarto, el señor Dufour contemplaba la pista de tenis. Había llegado a Entre-Dos-Mares a media tarde y se había encontrado con un grupo de jóvenes en la casa. No esperaba hallar a su hijo tan sociable y expansivo. Durante el trayecto había ensayado diferentes discursos con diferentes enfoques y, al fin, había dejado, insatisfecho, que las circunstancias decidieran por él.

Lo peor de tener una conversación seria con René era que, inevitablemente, había que tocar el tema de la confianza. Lo planteara como lo planteara, ese era el tema central. No podía acusar a su hijo de ladrón sin más ni más. Había que profundizar. Era lo correcto. El señor Dufour no podía eludirlo y asumir esa gravedad le inquietaba.

Cuando descubrió media docena de coches aparcados ante la puerta, se extrañó y sus preocupaciones se transformaron. Hasta el vestíbulo llegó un sonido de voces proviniente de la sala del invernadero. Se dirigió hacia allí con curiosidad y vio a un grupo de hombres y mujeres jóvenes en atuendo deportivo. René se levantó de un salto y lo saludó alegremente. Su semblante no denotaba miedo o preocupación. Su padre saludó a aquellos jóvenes y aceptó tomar en su compañía una taza de té. Todavía no hacía una temperatura como para tomarla al aire libre, aunque el día había sido soleado. Después de la merienda se organizó una partida de tenis y el señor Dufour subió a su cuarto.

Recostado en una de las butacas del mirador, el señor Dufour miraba al jardín. Como siempre que el aire de abril se agitaba entre los árboles, le invadía la nostalgia por la juventud perdida. ¿Cómo había sido él a esa edad? No era ya tiempo de arrepentirse de su vida, pero contemplaba con intriga esas otras vidas que no había llegado a vivir, a conocer, ese otro hombre que hubiera sido de haber nacido en el seno de otra familia, de haberse casado con otra mujer. No había cultivado el orgullo que la mayoría de los padres sienten respecto a sus hijos. Había estado demasiado ocupado en mantener su dignidad de marido abandonado. Sin embargo, ahora que su hijo había fallado de forma tan inesperada y, podría decirse, tan vil, lo miraba con una especie de complacencia íntima, como cosa propia. Jugaba bien al tenis, se movía con elegancia y estilo. Cada vez que su compañera de juego respondía a la pelota, él la miraba, transmitiéndole confianza. ¿Cómo podía ser un ladrón? Terrible palabra: no podía ser aplicada a un hombre que sólo sugería buenas cualidades. Él era cuanto el

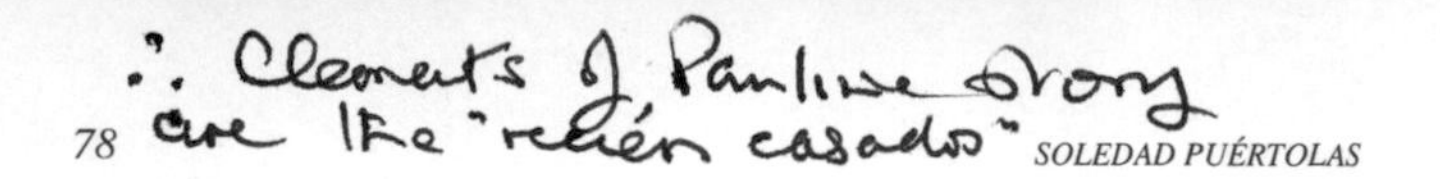

señor Dufour dejaba tras sí y todas las vidas que no había vivido y todos los países y las personas que no había conocido no tenían, al otro lado de la moneda, más que a aquel joven seguro de sí mismo, agraciado, cordial.

Después de la cena, el señor Dufour recibió una visita de su vecino, el señor Clement. Estaba solo en el campo, pero dentro de unos días vendría su hijo, recién casado con una muchacha encantadora. La señora Clement, que estaba también a punto de llegar, quería dar una fiesta para presentar a la joven. Había sido un enlace muy satisfactorio.

—Es hermoso ver cómo los hijos construyen su vida —dijo, y el señor Dufour le devolvió una mirada indiferente—. Más de una muchacha estaría dispuesta a casarse con René.

El señor Dufour hizo un gesto de condescendencia.

—Has dado a tu hijo una educación muy liberal —siguió el señor Clement—. No te lo reprocho. La verdad es que te ha faltado una mujer a tu lado. Ellas entienden de estas cosas. Saben cómo hacerlas. Tú también hubieras debido volverte a casar. Más de una vez me lo ha comentado Marie. No te hubieran faltado ofertas.

—Se vive muy bien sin mujeres en casa —sonrió el señor Dufour.

—¡Pero si yo apenas vivo en casa! —exclamó el señor Clement—. La casa es para ellas. A nosotros nos toca el trabajo, la acción.

—Las diversiones —añadió el señor Dufour con acento irónico.

—Las diversiones también —rió el señor Clement—. Por lo demás, tu hijo se está poniendo de moda. Todas las señoras hablan de él. Tiene reputación de conquistador. En fin —sus dedos tamborilearon sobre la tapicería del sillón—, casi es un asunto económico, ¿quién heredará la empresa?, ¿quién se ocupará del campo?

—Yo he cumplido mi parte —contestó, lacónico, el señor Dufour.

El señor Clement, aburrido de la resistencia de su amigo, cambió de tema: las guerras, el comunismo y la cotización de la moneda ocuparon el resto de la conversación.

11

René había invitado a unos amigos a pasar unos días en la casa. Se lo anunció a su padre a la hora del desayuno, pidiendo un permiso tardío. Parecía un poco nervioso. El señor Dufour dio su aprobación. Aquellos jóvenes tenían apellidos conocidos y eran educados. Sus trajes atrevidos y sus voces elevadas daban a la casa un tono de frivolidad. Siempre estaban planeando diversiones. Eran algo más jóvenes que René y se burlaban del matrimonio, aun a sabiendas de que se casarían. Eran un poco cínicos; René los escuchaba con vago asombro y se reía con sus chistes.

Todos ellos fueron invitados a la fiesta de los Clement en honor de la nueva señora. El señor Dufour no quiso ir y alegó un resfriado. Hacía años que cogía resfriados en cuanto aparecía una fiesta en el horizonte. La fiesta de los Clement se estuvo comentando durante días. Los tres invitados de la casa regresaron a la hora del desayuno de la mañana siguiente y no en muy buen estado. Durante la cena se bromeó sobre las mujeres que habían conquistado.

—Y hasta mujeres casadas —dijo uno.

René se ruborizó ligeramente. El señor Dufour les dirigió a todos una mirada de censura y la conversación se zanjó. No podía hablarse del comportamiento de las mujeres casadas en aquella casa.

Los Clement organizaron otras fiestas, en menor escala. Hubo meriendas y almuerzos más informales. La casa de los Clement se convirtió en el punto de referencia obligado de toda diversión. Un nombre sonaba en la boca de todos: Florence. La bellísima señora Clement parecía disfrutar del recibimiento que le tributaba su nueva familia.

Los días iban pasando y el señor Dufour no había tenido esa conversación trascendente que se había propuesto tener con su hijo. No había habido ocasión. Los amigos que vivían en la casa y la intensa vida social que llevaban creaban una barrera entre padre e hijo y los dos lo agradecían: parecían hallarse cómodos a ambos lados de ella. De vez en cuando, se dirigían fugaces miradas por encima.

Una tarde, uno de los huéspedes arrastró al señor Dufour hacia el salón amarillo, donde, como de costumbre, se había organizado un baile. René, al ver a su padre, se acercó a él y se sentó a su lado. En la sala, había un gran estruendo de música y voces elevadas, pero entre ellos se produjo el silencio.

René inició la conversación: pensaba quedarse unos días en Entre-Dos-Mares. El señor Dufour miró al fondo de los ojos de su hijo y dudó de todo: tal vez René no había cogido el dinero. Indagó en su interior; no era cuestión de tener esperanzas. Había renunciado a ellas. No había enfocado su vida así.

René seguía hablando y sus palabras no sonaban muy coherentes. Su padre sintió compasión, como si aquel nerviosismo le perteneciera. ¿Cómo transmitirle que no iba a juzgarle? Sólo podía mirarle desde el fondo de sus sentimientos, a lo que ninguno de los dos estaba acostumbrado. Al fin, se levantó y, apoyándose en el brazo que René le ofrecía, se dirigió hacia la puerta de la sala. No habían hablado, todos los discursos pensados se habían evaporado y, sin embargo, cuando el señor Dufour, ya en la puerta, miró a René y René retuvo su mirada, supo que su hijo lo entendía y, por un momento, tuvo la certeza de que una larga conversación había tenido lugar entre ellos.

12

El señor Dufour regresó a la ciudad y, días más tarde, los huéspedes de la casa también se marcharon. Los Clement dejaron de convocar a sus vecinos. Los días soleados cesaron y sobrevino un clima casi invernal que dio al traste con las ilusiones primaverales. Todavía faltaban meses para el verano. René leía en la biblioteca y paseaba por el campo. Se aburría. Pero no deseaba volver a la ciudad. Se sentía cansado de sus continuas aventuras, de su constante ir y volver de la oficina a casa, los bares, la conversación con Fanny. Fanny le escribía. Sus cartas eran echadas a la papelera tras una rápida ojeada. Afortunadamente, Fanny no lo necesitaba. Acabaría por casarse con otro hombre y formaría un buen hogar. Se sentía desanimado y triste, no sólo turbado por el recuerdo del robo, que no había sido capaz de confesar a su padre, sino porque toda su vida tenía un aire de mediocridad.

Con ese estado de ánimo, contemplaba el paisaje, llano y verde, que se extendía ante sus ojos. Los setos del jardín, cuidadosamente recortados, los macizos de flores, el orden que imperaba alrededor de la casa, no conseguían reconfortarlo. Por el contrario, contribuían a hacerle sentir con mayor agudeza su desarmonía con el mundo. Los jardineros se aplicaban a su tarea a pesar de la lluvia. Cubiertos con toscos impermeables negros, recorrían despacio el jardín, repasándolo.

Una figura se fue perfilando desde el fondo. Era una mujer con un traje claro y la cabeza descubierta. Conforme se acercaba, René pudo observar más detalles: llevaba el cabello suelto y parecía mojado. Andaba de prisa. Uno de los jardineros la miró y luego volvió a su tarea. Al fin, la mujer llegó al pie de las escaleras. René vio su rostro con mayor claridad: era Florence Clement. Antes de que ella golpeara la puerta, acudió a abrirla.

Florence Clement entró en la casa e introdujo en ella un torrente de lamentaciones, una mañana llena de incidentes desagradables. Explicó desordenadamente todas las cosas molestas que le habían pasado desde que había amanecido y que habían culminado con una avería en el coche: se había detenido a dos kilómetros escasos de la casa de René. René la miraba sin saber a ciencia cierta a qué atender: si salir en busca del coche averiado o proporcionar a Florence Clement ropa seca y una taza de café.

—No puedo más. No puedo dar un paso —concluyó Florence Clement.

René salió de su indecisión. Tomó del brazo a la joven señora Clement y la hizo entrar en el salón. La hizo sentarse frente a la chimenea, le colocó un chal sobre los hombros y le ofreció café y coñac. Florence Clement dejó de quejarse cuando tuvo la copa entre las manos. Aún tiritaba. René le comunicó que las criadas estaban preparando ropa seca y en seguida podría subir a darse un baño y cambiarse, pues de lo contrario era de temer que cogiera un resfriado. De repente, Florence se echó a reír.

—¡Pero qué hombre más increíble es usted! —exclamó—. Se diría que todas las tardes de lluvia aparece una mujer en su casa pidiendo asilo.

Entonces René cayó en la cuenta de la diferencia de edad que los separaba. Florence aún no debía tener veinte años mientras que él hacía tiempo que había rebasado los treinta. Hay veces que esa diferencia se presenta como algo insalvable, casi como un drama, y así la vivió René en aquel momento, mientras el rostro de Florence se iba tiñendo de un color rosado y sus ojos adquirían más brillo.

Florence paseó una mirada complacida por la biblioteca que cubría las paredes.

—No sabía que fuera usted una persona tan culta —dijo.

René se defendió. No era exactamente un hombre culto. Le gustaba tener un libro en las manos de vez en cuando. Florence asintió; a ella también le gustaba leer, pero le faltaba capacidad de concentración. Su mente nunca estaba quieta. Andaba siempre imaginando cosas. En el colegio siempre la habían reñido por eso. Ahora se daba cuenta de que habían tenido razón al reñirla.

—Así no se puede ser feliz —dijo tranquilamente, mirando a René con sus grandes y brillantes ojos castaños.

Esa era una consecuencia muy grave, excesiva, objetó René. Tener varias cosas en la cabeza no era tan raro. A él también le ocurría. Pero Florence negó obstinadamente con la cabeza:

—Piénselo bien, señor Dufour, usted tampoco debe ser feliz.

La primera objeción que puso René a aquellas palabras fue el tratamiento formal que Florence le dedicaba. Luego trató de desbaratar el argumento de Florence y al final admitió que bien podría suceder que no fuera feliz. Al menos, no siempre, porque no siempre la vida nos sorprende con acontecimientos agradables. Florence sonrió: era extraño, dijo, que siendo el día tan corto diera cabida a tantas emociones.

Cuando Florence regresó, después de darse un baño y cambiarse de ropa, reanudó la conversación. Sus primeras impresiones sobre la vida social, recién salida del colegio de Besançon, en el que había sido educada una docena de años, hicieron reír a René. Florence quería ser capaz de distinguir lo falso de lo verdadero, quería llegar al fondo de las cosas y de las personas y conocer qué significaba cada gesto. René hacía gala de un escepticismo exagerado que escandalizaba y divertía a la joven.

El chófer de los Clement se presentó a última hora de la tarde para recoger a Florence.

—Devuélvanos la visita una tarde. Estos días de lluvia son insoportables. Me aburro mucho —se quejó Florence, ya en la puerta.

René se lo prometió.

Desde el ventanal de la biblioteca, vio cómo el coche daba la vuelta a la rotonda y se encaminaba hacia el fondo del jardín. A través de la ventanilla posterior, se divisaba la cabeza descubierta de Florence Clement. A su pesar, René se hallaba afectado por su encanto. La vivacidad, coquetería e inocencia de Florence habían dejado su huella. Daba la impresión de ser una niña a la que habían casado con Michel Clement como si le hicieran un magnífico regalo.

El coche desapareció de su vista. La bella cabeza de Florence Clement, llena de fantasías, pronto estaría rodeada de los suyos, pero ella se mantendría siempre lejos de todos, aspirando a la vida superior de los sueños.

13

No fue fácil renunciar a esa aventura. Los Clement invitaron a René a almorzar para agradecer la ayuda prestada a Florence. Ella le dedicaba miradas abiertas, cándidas, tal vez sin saber bien lo que significaban.

Cuando René decidió regresar a la ciudad, fue a casa de los Clement a despedirse. Estaba toda la familia reunida. El rostro de Florence empalideció. En ese momento, René se arrepintió. Hubiera dado el mundo por ser capaz de no preocuparse de los Clement, del futuro de Florence y de la vida gastada que le quedaba a él. Sin embargo, se limitó a dar la mano a todos los reunidos. Retuvo entre las suyas la débil mano de Florence y depositó en sus dedos un beso.

Cuando volvió a su casa, mientras preparaba las maletas, tenía la esperanza de que Florence apareciera. Estaba dispuesto a cambiar sus planes si ella le retenía. Pero Florence era demasiado joven. Puede que estuviera llorando, alegando un malestar por la primera contrariedad íntima e inconfesable. La juventud e insatisfacción de Florence habían detenido a René. ¿Cómo hacerse cargo de aquel destino que se presentía frágil y difícil? Pero, de vez en cuando, René miraba por la ventana y perdía sus ojos en el fondo del jardín, por donde había aparecido una tarde Florence Clement en busca de ayuda. La boca de René se curvaba en una sonrisa, evocando la entrada turbulenta de Florence quejándose, llorando. Era tentador ofrecerle cobijo y diversión.

Pero Florence no apareció y el combate fue resuelto a favor de la normalidad. El regreso de René a la ciudad estuvo envuelto en esa melancolía. El trabajo absorbía a René. Por primera vez, se hacía cargo de los preparativos de la Feria Internacional. No le disgustó hacerlo: la actividad le permitía no pensar.

Cuando la Feria concluyó, el verano comenzaba a abrir sus puertas. Una oleada de calor envolvió a la ciudad, un calor pegajoso, insufrible. René fue invitado a una fiesta en el Hotel Labottière. No era muy partidario de ir; su capacidad para la vida social parecía haberse agotado tras su estancia en el campo y después de la agitación de la Feria, pero Fanny tenía un hermoso vestido que estrenar y estaba segura de realizar nuevas conquistas.

En medio de un sofocante calor, llegaron al hotel. Era la caída de la tarde y el jardín estaba iluminado por cientos de farolillos. Enormes tiestos con flores blancas y amarillas adornaban las terrazas. Los camareros desfilaban con las bandejas en alto entre los grupos de gente. Un aficionado provisto de una cámara de cine iba de un lado para otro enfocando a los invitados. Los flases de las máquinas de fotos iluminaban esporádicamente la incipiente oscuridad. Fanny miraba a su alrededor, saludando a conocidos y siendo presentada a nuevas amistades. En seguida se separó de René.

Continuamente llegaban grupos de invitados que lanzaban exclamaciones de júbilo al encontrarse con el espectáculo de aquella animación. Un joven a quien René no conocía se colgó de su brazo y le rogó que lo acompañara a un lugar en el que pudiera vomitar discretamente. Se lo pidió con tanta urgencia que René le ayudó a encontrar ese lugar apartado detrás de unos setos. Allí el joven se entregó a la operación que había anunciado. Había ensuciado ligeramente sus zapatos y el borde del pantalón y René le ayudó a limpiarlos. El chico presentaba una palidez espantosa y temblaba, pero quería a toda costa mantenerse en pie. Estuvieron allí un momento, esperando que recobrara las fuerzas. No quería hacer el ridículo, declaraba.

—Todo el mundo anda medio borracho —argumentó René—. Es así como acaban las fiestas.

—Pero eso es muy desagradable —repuso el joven, estremecido—. No creo que tenga fuerzas para volver a la fiesta —añadió—. Me gustaría regresar a casa, pero no voy a ser capaz de conducir el coche.

René se ofreció a llevar al muchacho a su casa.

—Me parece que no has nacido para esto —observó.

—¿Para qué? —preguntó, desconcertado, el chico.

—Para divertirte. Pareces demasiado serio.

El muchacho no replicó. Siguió a René por el sendero silenciosamente. Concentraba todos sus esfuerzos en poner un pie delante de otro. René le ayudó a subir al coche.

Durante el trayecto, el joven tampoco dijo una sola palabra. René lo dejó en la puerta de su casa. El muchacho dio las gracias en un susurro y desapareció en el portal.

Una vez solo, René se sintió indeciso. Había ofrecido su ayuda al chico porque él mismo tenía ganas de marcharse. Ver a Fanny divertirse no le resultaba un espectáculo agradable, no por celos, sino porque se sentía más extraño a ella que nunca; comprendía entonces que entre Fanny y él existía un abismo insalvable. Ese abismo era como un símbolo: no sólo le separaba de Fanny sino de todos los seres humanos.

El muchacho que se había emborrachado, seguramente por primera vez, había expresado de forma física su desconcierto. Él sabía dominarlo, él parecía uno más. Hablaba con el tono de frivolidad preciso, bebía las copas necesarias y se comportaba siempre con corrección. Fue a su casa y durante largo tiempo contempló la noche estrellada enmarcada en el balcón abierto de su dormitorio.

14

Dejó pasar unos días antes de llamar a Fanny. Suponía que estaría demasiado enfadada como para hablar con calma. Tenía motivos para estarlo puesto que René no había regresado a la fiesta a recogerla. El hecho no era tan grave, porque no le faltaban a Fanny personas para llevarla a casa, pero no era esa la forma de comportarse. René podía alegar lo de aquel joven, de quien ni siquiera recordaba el nombre, que le había pedido que lo llevara a su casa. Parecía una historia inventada y Fanny se negaría a creerla. Dejó transcurrir unos días. La cólera de Fanny quedaría aplacada por la intriga, la curiosidad.

Al otro lado del hilo telefónico la voz de Fanny resultó heladora. René contó la historia del joven borracho. Para hacerla más verosímil, ya que en aquel momento ni siquiera él creía en ella, hasta le dio detalles de la breve conversación que había tenido lugar entre ellos. Fanny no mostraba ninguna curiosidad.

—He pensado en casarme —dijo René—. ¿Estás dispuesta a casarte conmigo?

El silencio de Fanny se podía palpar.

—Bueno, ¿no vas a contestarme? —insistió René, y en ese momento escuchó un «no» remoto, confuso. Luego, la voz de Fanny cobró fuerzas:

—Esas cosas, cuando son de verdad, no se dicen por teléfono. No puedes proponerme una cosa así, sin más ni más, después de tantos años, sólo porque estás solo y deprimido. Yo no puedo solucionarte nada de eso. Estás pasando una temporada muy rara. No hay quien te entienda. Y, sobre todo, no hay quien te aguante.

Fanny colgó el teléfono. René encendió lentamente su pipa. No se sentía irritado con Fanny ni consigo mismo. Ni siquiera estaba claro que su amistad o su noviazgo o como quiera que hubiera que llamarlo estuviera concluido. Seguramente, a la vuelta de sus vacaciones en España, Fanny lo llamaría y lo pasarían bien juntos. Podía pasar, podía no pasar. Había sido sincero al proponerle que se casara con él. Ese podía ser un remedio. Al fin, significaría acomodar el ritmo de su vida a otra persona. Eso podía obligarle a ser menos egoísta. Una vez más, Fanny tenía razón: lo abandonaba a su suerte. Era una actitud de mujer independiente, inteligente, pero, ¿enamorada? ¿Qué otra mujer que no fuera Fanny lo hubiera soportado? ¿Tenía derecho a pedirle más? René miró el humo de su pipa, que se deshacía en el aire en extrañas figuras. ¿De qué estaba hecha Fanny?

15

Todas sus preguntas sobre Fanny se desvanecieron mientras escuchaba la conversación que tuvo lugar durante el almuerzo. Había un invitado aquel día, el señor Durmont, cuya simpatía hacia lo que se consideraban partidos de izquierda era notoria. El señor Durmont, a medias inteligente, a medias culto, a medias educado, trataba de exponer al señor Dufour con muy buenas razones por qué había que negociar con las fuerzas progresistas, incluso con las revolucionarias. El señor Dufour le devolvía una mirada de esforzado interés: todo cuanto su interlocutor le decía estaba fuera de su mundo. Saliéndose de toda línea de razonamiento, él aducía que ya negociaba. En el campo hablaba mucho con los trabajadores y trataba de entenderlos. De hecho, la administración de la empresa había cambiado y seguiría cambiando.

Pero al señor Durmont no le interesaban esos detalles, que ni siquiera escuchaba con paciencia. Él hablaba de alta política, de grandes planes de estado. René se preguntaba en qué estado de aburrimiento tenía que haberse encontrado su padre para invitar a almorzar a una persona así; la alta política jamás le había interesado. Un poco cansado de aquel diálogo de sordos, el señor Durmont se dirigió a René.

—Y usted, que ya pertenece a otra generación —empezó, como si quisiera ganarlo para algo—, ¿qué ideas políticas tiene?

—Nunca me ha interesado la política —contestó René.

El señor Durmont se mostró escandalizado.

—Nadie es indiferente a estas cuestiones —dijo—. Se trata de concepciones del mundo. ¿Cómo afronta usted el problema de la miseria, de la desigualdad? Tiene que tener sentimientos al respecto.

—Considero que el mundo es injusto —dijo René.

—Pero nunca se le ha ocurrido que podría cambiarlo, ¿no es eso? —preguntó el señor Durmont—, ¿o es que acaso no le interesa hacerlo? Tal vez usted saldría perjudicado.

El tono de la voz del señor Durmont era suave; no obstante, sus palabras podían tomarse como una impertinencia. El señor Dufour miró a su hijo con expresión de indiferencia, como si no hubiera escuchado la observación.

—No es tan fácil cambiar el mundo —dijo al fin René— y quienes se lo proponen no siempre están llenos de buenas intenciones.

Al señor Durmont le centelleaban los ojos.

—Hay verdaderos apóstoles de la revolución, verdaderos santos.

El señor Dufour trató de calmar a su invitado.

—Desgraciadamente —dijo en tono pausado—, cuando se pasa de la teoría a la práctica se suma gente que no es muy recomendable. Las intenciones de los revolucionarios son muy hermosas y bien sabe Dios que yo estoy de acuerdo con ellas. En el campo tengo largas conversaciones con un bracero que es anarquista. Un hombre muy bueno. He aprendido mucho de él. Claro que no puedo suscribir todas las ocurrencias que tiene.

El señor Durmont miró a su anfitrión con irritación: todo lo llevaba al terreno personal. El señor Dufour se extendió en explicar las teorías del anarquista, las muchas horas que conversaban y lo bien que lo pasaban ambos hablando de todo ello. Habían descubierto que tenían los mismos gustos y, salvando las distancias, las mismas costumbres. El señor Dufour se reía suavemente sin percibir la creciente exasperación de su invitado. Al fin, la conversación siguió por derroteros menos comprometidos y la tertulia fue languideciendo.

El señor Durmont, antes de retirarse, miró fijamente a René.

—No olvide usted que las ideas están por encima de las personas —dijo gravemente—. Una causa justa no deja de serlo porque sea defendida por personas indeseables.

El señor Dufour asintió.

El señor Durmont agradeció el almuerzo y anunció que enviaría unas invitaciones para una conferencia sobre su programa político.

—Una persona interesante —dijo el señor Dufour mientras regresaban al salón.

René miró a su padre, sin contestarle: parecía en las nubes. Lo vio muy cansado, como si hubiera envejecido en el último mes. Unas ojeras oscuras surcaban sus ojos. Bajo la piel, fina y gastada, casi transparente, se perfilaban los huesos. Por primera vez, comprendió que el tiempo acabaría también con él.

—Las ideas nobles nos ennoblecen, hacen que una persona miserable tenga su dosis de grandeza, sin la cual es difícil aceptar la vida. Los jóvenes no os dais cuenta, pero al final de la vida uno necesita justificarla. He hecho lo que creí que debía hacer, pero la verdad es que entre esos deberes estaba el de no pensar mucho en los demás —el señor Dufour suspiró—. Todas estas ideas revolucionarias del señor Durmont tienen su parte de razón. A mí, ahora me gustaría haber sido más generoso, pero sólo me queda la idea y a ella me tengo que agarrar.

René entendía remotamente a su padre, aunque no sabía a qué idea se refería y no se lo preguntó. Todo su pensamiento era muy vago, como su figura, como sus ademanes.

—El mundo es muy injusto —siguió— y lo más injusto de

todo es que su injusticia ya no me conmueve porque no la he padecido nunca. Me ha tocado una parte de desgracia, pero mínima. Yo sólo sé hasta qué punto ha sido mínima. La verdadera miseria no la he conocido. La vida me ha tratado bien.

El señor Dufour se había sentado. Parecía hundido en la butaca de tal modo que era difícil pensar que volvería a levantarse.

—Tal vez yo sea parte inevitable de la injusticia del mundo —prosiguió—. Pero hay sentimientos que pueden eliminarse y eso es grave, sentimientos como la piedad o la compasión. Yo creo que son buenos. Ese es el defecto de los hombres de acción e incluso de los hombres de ideas. Los sentimientos no siempre sirven para arreglar las cosas, pero le cambian a uno. Tu abuela era una persona muy devota, pero nada piadosa; rezaba mucho, pero jamás se conmovía. ¿A dónde nos lleva el conmovernos? Realmente no lo sé. El señor Durmont está lleno de ideas nobles, aunque tampoco parece muy capaz de conmoverse —volvió a suspirar y cerró los ojos. La atmósfera pesada del verano y la fatiga de la conversación y del almuerzo lo habían vencido.

16

Frente a la figura de su padre dormido, René se sintió como el centinela que disfruta de la soledad cuando todos duermen, próximos a él. Velar la tranquilidad del sueño de su padre no parecía una misión heroica: lo había hecho más de una vez, pero no con la conciencia de que esa paz fuera tan frágil. No le habían asombrado las palabras de su padre, cuya actitud conocía de sobra cuando se relacionaba con sus semejantes; era comprensivo y cordial y siempre procuraba adaptarse al punto de vista del contrario. No estaba en guardia. Sus opiniones no eran lo que más valoraba de sí mismo y escuchaba con aire benevolente las observaciones de los demás. René no se sorprendía de lo que había dicho, pero sí del tono: parecía creerse cuanto decía. René conocía ese tono superficial, que sonaba, al menos a sus oídos, ligeramente a falso, cuando trataba cuestiones profundas. No le importaban mucho. Sin embargo, aquel almuerzo con el señor Durmont había sido distinto. Su padre había estado más ausente que de costumbre. En algún momento, sus ojos parecían perdidos y había habido que repetirle alguna pregunta. No obstante, cuando hablaba, parecía más sincero. Más sincero: ese era el problema de René con su padre. Jamás podría ser sincero con él. Desde que había sido introducido en el círculo de los adultos, su postura había sido la de la observación distante, discreta. No había existido confianza entre ellos; había sido cuidadosamente evitada. Ante aquel atisbo de sinceridad, René se sentía inquieto; ¿qué podía significar? Se diría que su padre había entrado de forma natural en otra etapa de la vida. Tal vez eso era la vejez y, si así era, casi le inspiraba envidia.

El señor Dufour abrió los ojos.

—Me alegro de que todavía estés aquí —dijo—. Quería hablar contigo —le miraba desde la posición en que se había dormido y era como si hablase desde el mismo sueño—. Tu madre estará en la ciudad dentro de unos días. Sería conveniente que la llamaras al hotel —después de esa recomendación, pronunciada en el tono de quien da una orden, volvió a su acento soñoliento—. No le ha ido bien en estos últimos años. Quiero decir, personalmente. Ha sido una mujer difícil, siempre ha esperado mucho de las cosas. No tanto de las personas como de las mismas cosas. Le gustará que la llames.

El tono de voz de su padre no permitía a René hacer ninguna objeción. Por lo demás, había pasado ya el tiempo de hacerlas. Desde el lejano almuerzo en el Gran Hotel, la existencia de Hélène había sido admitida en la casa. El tabú se había roto y su padre daba de vez en cuando noticias de ella con expresión neutra, como si fuera un deber que se hubiera impuesto a sí mismo para romper con una situación artificial. René había estado al tanto, sucintamente, de los hechos principales de la vida de su madre: sus viajes, su nueva actividad profesional —había vuelto a la moda y tenía un taller de diseño en Nueva York—, sus amistades. Había recibido también cartas suyas. Breves frases escritas en delicadas tarjetas de color crema y elegante impresión. Siempre le invitaba a visitarla.

—Ya no vive con su marido —siguió el señor Dufour tranquilamente, como si la palabra «marido» no le inquietara lo más mínimo—. Parece que cada uno vive su vida, aunque se mantienen legalmente casados. Ella pasa casi todo el año en el apartamento de Nueva York, como ellos lo llaman, aunque por lo que me han dicho no es nada pequeño. Se ve mucho con las chicas —ante la cara de extrañeza de René, explicó—: las hijas de Skalnick. Te he hablado de ellas alguna vez —hizo un gesto vago con la mano que equivalía a decir que probablemente nunca había hablado de ellas, ya que no le preocupaban—. Una está separada y tiene algo que ver con el cine. La otra trabaja con Hélène. Ha tenido suerte con esas chicas. Parece que la admiran mucho. Aunque me da la sensación de que la aburren un poco —sus labios dibujaron una media sonrisa—. Tu madre es una mujer complicada. No tiene esa mentalidad simple y pragmática de la mujer americana. Es inteligente, pero ni tan fuerte ni tan estable como ella quisiera.

—¿Tiene hijos el señor Skalnick? —preguntó René, convencido de pronto de que sus padres habían estado durante todos aquellos años en estrecho contacto y sintiendo una nueva curiosidad por la vida de su madre.

El señor Dufour asintió.

—Es senador o algo así. Está siempre muy ocupado, entre campañas políticas, los negocios y la familia. Ya sabes que para dedicarse a la política en los Estados Unidos hay que dar la impresión de que la familia funciona muy bien —sonrió, como si a él nunca le hubieran preocupado esas convenciones. Se calló abruptamente. Sus ojos se perdieron en el infinito.

17

La señora Skalnick propuso a su hijo que fuera a verla al hotel a las siete y media. Parecía sorprendida de la llamada de René, como si lo último que esperase en Burdeos fuese recibir noticias de su hijo.

René se dirigió hacia el hotel con el ánimo un poco dispuesto a la piedad, porque la imagen de una mujer con dos fracasos matrimoniales a sus espaldas no resultaba alentadora. Aunque su padre no la compadecía y él, por lo tanto, tampoco. El recuerdo de la mujer vulgar con quien almorzó en el restaurante del Gran Hotel se había ido desvaneciendo, siendo sustituido por el rastro que ella dejaba en el mundo: las cartas y postales que había recibido de ella llevaban los matasellos de las grandes ciudades.

Cuando golpeó la puerta de la habitación del hotel, una corriente de inquietud recorrió su cuerpo. La abrió un hombre de mirada fría e inquisitiva, vestido con un traje claro. Se presentó como el señor Laskey, secretario de la señora Skalnick, cuyo nombre pronunció como si no existiera otra señora en el mundo. Introdujo a René en la sala, le sirvió una copa y le comunicó que la señora vendría de un momento a otro. Después, pidió permiso para retirarse.

A los pocos minutos, un rumor de pasos, llaves y susurros en el pequeño vestíbulo anunciaron la llegada de la señora. La puerta se abrió y Hélène hizo su aparición. René se levantó con el vaso en la mano. Hélène se acercó a su hijo con expresión de asombro y satisfacción.

—¿Sabes que has mejorado mucho con la edad? —dijo, y después miró a Laskey—. Ponme una copa, Phil.

Hélène tomó la copa sin apartar la mirada de René. Laskey salió de la habitación. Hélène se sentó en la butaca de terciopelo gris y cruzó las piernas.

—¡Qué gente más absurda! —exclamó—. Ha sido una cena increíble. Hasta creo que alguien me ha llamado señora Dufour —sonrió—. Dime, ¿cómo está tu padre?

Hélène suspiró y pareció que iba a ponerse nostálgica. Sin embargo, cambió de tono y explicó la razón de su viaje:

—He venido por un asunto de negocios. Recibí una carta de la actual directora de *El Estilo,* la revista que yo dirigía, ¿te acuerdas? Me proponía que participase en una exposición con motivo de los veinticinco años de la revista —sonrió, como si la proposición fuese absurda—. Comprenderás que en un principio no me interesó pero, después de leer la carta, empezó a darme vueltas en la cabeza. Veinticinco años de *El Estilo* son bastantes años. Yo la dirigí durante más de diez.

Tampoco está mal. Decidí venir. La señora Diamond es una señora divertida, te lo aseguro —se rió—. Rebosa de ideas, aunque parece incapaz de llevarlas a cabo y se rodea de una gente que tiene toda la apariencia de ser tan eficaz como estúpida. Tiene una gran curiosidad por todo lo que se hace en Nueva York y es muy probable que acepte una invitación que le he hecho.

Hélène se quedó callada, mirando a René.

—También he venido por otra razón —dijo, cambiando de voz—. ¿Te acuerdas de Agnes Duvivier? Venía muchas veces a casa —René no se inmutó. Era la primera vez que se referían a ese pasado que había correspondido a la infancia de René—. Tienes que acordarte. Una señora muy guapa. Y muy buena. Se está muriendo. Yo no sabía que estuviera tan mal. Ha sido una sorpresa horrible. Su vida ha sido muy distinta de la mía, pero me ha comprendido siempre. No hay nada que pueda comprenderse ni explicarse, pero Agnes es generosa. Me gustaría evitarle el sufrimiento.

Hélène había hablado despacio, con tristeza, como si al pronunciar aquellas palabras quisiera decir mucho más. Después de un silencio, preguntó:

—¿Y tú? ¿Qué has hecho? ¿Cómo te ha ido? Todo lo que sé es que continúas soltero.

—No hay mucho más que añadir —dijo René—. Mi vida no ha cambiado mucho en estos años.

Era difícil hacer un resumen de su vida. Pero René vio interés, reflexión y profundidad en los ojos de su madre. Le hubiera gustado poder hablar.

Hélène se levantó y se sirvió otra copa. El silencio flotaba entre ellos, pero no los separaba.

—Nunca sé qué hacer en el verano —dijo—. Puedo ir a casa de Lilly. Tiene una casa en Santa Bárbara, enfrente de la playa. Pero siempre está llena de amigos. Lilly es una de las hijas de John —explicó—. Ella es encantadora, pero sus amigos son insoportables. No sabes lo que es un americano esnob. En realidad —suspiró—, ya estamos en medio del verano. Tal vez regrese a Nueva York en seguida. Tengo muchas cosas pendientes. Creo que es mejor suprimir las vacaciones.

Hélène miró hacia la ventana abierta. Se hacía de noche. La luz de las farolas se derramaba sobre la plaza.

René se puso en pie para despedirse. No era una despedida definitiva y se sintió aliviado de pensar que su madre, a pesar de sus equivocaciones, su cansancio, sus fracasos, era una mujer llena de vida, de proyectos, de compasión. La comparó en su mente con otras mujeres de su misma edad. Era difícil calcular esa edad. Más o menos, tendría la de su padre, aunque ella había cuidado de sí misma más que él. Hasta cierto punto, le inspiraba admiración, porque no era una mujer vencida.

Hélène, cuando René se marchó, volvió a sentarse en la butaca. Laskey entró con unos papeles en la mano.

—Sírvete una copa, Phil —dijo—. Déjame pensar un poco. He visto a mi hijo muy pocas veces en la vida. Es un hombre silencioso. Habla poco de sí mismo.

—No todas las personas tienen algo que decir —observó Philip.

—No todas saben cómo decirlas —repuso Hélène con los ojos perdidos en el aire de la habitación—. ¿Sabes en qué ha consistido mi vida, Phil? En querer mantenerme siempre joven.

Philip Laskey negó con la cabeza en señal de desacuerdo. Hélène dijo, como recitando:

—«Quien no quiere ser una piedra gris de un edificio gris, que no destaque del conjunto»... —suspiró—. Se han escrito cosas muy hermosas sobre todo esto.

Philip sonrió levemente, con escepticismo. Sus ojos grises, algo azulados, no parecían confiar demasiado en la sabiduría que se encierra en los libros.

18

Al final del verano, René decidió hacer un crucero por las islas griegas. A su regreso, su vida cambió ligeramente. Leonard Westley, un joven inglés de hablar corrosivo e inteligente que no tenía otra ocupación más importante que dejarse invitar por sus amistades, aceptó la oferta de pasar unos días en casa de René. Burdeos le parecía una ciudad arcaica y solemne, pero le gustaba, porque le atraían, para examinarlas con ojo crítico, sus viejas costumbres.

Se habían hecho amigos porque eran los dos únicos hombres solteros del grupo. Fueron solicitados por las mujeres y rehuyeron juntos las compañías molestas. Westley había ido a parar al crucero por una casualidad. El billete era para una tía suya que se había torcido un tobillo unos días antes del viaje. Westley sostenía que se lo había regalado a él para fastidiar a una prima con quien la tía se veía diariamente a la hora del té, y explicaba con tanta exactitud los detalles de aquella relación que parecía verosímil que, más que por generosidad, el billete hubiera ido a parar a Westley por mala voluntad.

Westley no era rico ni pertenecía a la buena sociedad, pero conocía muchas anécdotas de ella. Escribía crónicas sociales que le pagaban malamente en periódicos desconocidos y se iba bandeando en la vida con la única ambición de poder decir siempre algo ingenioso de cuanto sucedía a su alrededor. Sentía una remota simpatía hacia las personas pobres o dignas, lo que le privaba de esa tendencia a la fatuidad que suele ser rasgo fatídico de los hombres ingeniosos.

Fuera porque debían convivir en un espacio reducido un número determinado de días, por la similitud de sus circunstancias objetivas —hombres jóvenes, solteros y educados— o por la cantidad de alcohol que se ingiere en alta mar, el caso fue que René, poco dado a las confidencias, tuvo largas conversaciones con Westley, y al cabo del crucero ambos sentían algo parecido a un cariño mutuo. Westley había dado a René algo que le había faltado siempre: comprensión. A los ojos de Westley, los acontecimientos decisivos de la vida de René eran perfectamente explicables.

A Westley fue a la única persona a quien René contó el episodio de Bianca y Henri Combart.

—Lo cuentas peor de lo que fue en realidad —fue la primera observación de Westley.

Luego añadió que él también había sustraído dinero a un tío suyo —Westley estaba bien provisto de tíos y tías a quienes describía despiadadamente pero con una frecuencia que hacía pensar que, al menos, los necesitaba—, aunque no una cantidad tan elevada y con fines nada benéficos. «No hay que confesar todas las perversidades que hace uno», era su opinión, «la perversidad da la medida de la bondad y de las buenas costumbres». El episodio de Henri Combart no le parecía a Westley tan grave; le preocupaba que René le diese importancia.

—Hay un vacío dentro de mí —dijo una vez René— y creo que lo que me llevó a robar nació de ese vacío. Eso es lo que me asusta.

Westley no quería esas explicaciones. Para él todo era bastante sencillo: el hombre quiere experimentarlo todo y está bien que sea así, porque la experiencia nos da conocimiento. La vida de René, que a René le parecía insípida, Westley la juzgaba interesante.

René habló a Westley de sus pasados anhelos de ser diferente, de hacer algo distinto, y de la opinión que tenía su padre sobre la dignidad y la nobleza, ideas que en el fondo compartía. Su problema era que no había conseguido centrar su atención en nada. La vida le defraudaba porque no conseguía entregarse enteramente a ella. Había algo dentro de sí que le detenía al borde de las cosas y, más que disfrutarlas, las observaba.

—Pero eso es bueno —replicaba Westley—. Si te entregaras a ellas no te enterarías de nada.

—Si me quedo fuera tampoco me entero. Te aseguro que no sé nada de la vida.

—Sabes más de lo que crees. Lo único que sucede es que no tienes fe en ti mismo.

—¿Y cómo se adquiere la fe en uno mismo?

Para eso Westley no tenía respuesta.

—Yo no la necesito —dijo una vez—. Mi vida no requiere esa fe que tú pides. Tú eres más ambicioso que yo. Te conformas menos.

Estas palabras dieron que pensar a René y en cierto modo le sirvieron más que un buen consejo. A través de ellas descubrió un rasgo de su carácter que hasta el momento no había admitido: la ambición. La vida que llevaba había dado la espalda a la ambición, pero existía, aunque sepultada. Westley se conformaba con pasearse por la vida como un observador inteligente. Él había soñado con participar en ella de forma decisiva. Seguramente, ni él ni Westley llegarían a destacar en nada, pero existía entre ellos esa profunda diferencia.

La marcha de Westley puso fin a esas largas conversaciones. El periódico en el que colaboraba con más frecuencia le ofreció un empleo fijo en Londres. Westley dejó Burdeos. Era un día de otoño, gris, algo ventoso. René le acompañó a la estación. El tren, con el brazo de Westley agitándose en el aire, desapareció de su vista. Probablemente, no volverían a verse. Westley reanudaría su deambular por el mundo. Con una profunda sensación de soledad, René regresó a su casa.

Aquella noche, su padre no bajó al comedor a cenar, ni al siguiente. Tenía una ligera dolencia y el médico le había recomendado descanso. No era nada grave, pero convenía no correr riesgos. Un enfriamiento a esa edad debía curarse bien.

René llamó a Fanny y la velada, en la que no había puesto muchas esperanzas, resultó casi dramática. Se entendieron menos que nunca y, al final, Fanny le comunicó que había conocido a un hombre muy interesante y que iba a casarse con él. «¿Cuándo?», fue lo único que preguntó René y Fanny dijo que en enero: «Seguramente en enero.» René quiso acostarse con ella y Fanny accedió, pero tuvo un sabor de despedida. Ninguno de los dos quería retener lo que habían fabricado juntos. Acaso no era nada. René dejó a Fanny con amargura, como si hubiera fracasado siempre con las mujeres, como si jamás las hubiera entendido ni hubiera llegado a saber lo que esperaba de ellas.

El señor Dufour aún estaba despierto cuando René volvió a la casa. Entró a saludarle. Leía un libro de cuestiones heráldicas, asunto que siempre le había interesado: escudos, familias ilustres, árboles genealógicos. No era tanto por pertenecer a uno sino porque le gustaba que existieran. Tal vez ese era para él el signo de la grandeza de la vida. Sostenía el libro un atril de madera apoyado en un almohadón. Miró a su hijo por encima de los anteojos y le pidió que se sentara un momento a su lado. Le mostró una ilustración que René se esforzó por apreciar. Estaba contento con aquellas estirpes cuyos hombres no se habían resignado a ser, como todos los demás, hombres vulgares y corrientes. Ellos querían un símbolo que los diferenciara; un halcón, una columna, una flor. Querían ese signo para identificarse frente al resto de los hombres. Cada escudo era un mundo, una concepción de la vida, unos valores. Posó sobre René una mirada complacida.

—No voy a volver a trabajar —dijo—. Ya tienes edad y experiencia para llevar el negocio tú solo. Te prestaré ayuda, toda la que quieras, pero me retiro formalmente. Quiero dedicarme al estudio, aprovechar el tiempo que me queda para aprender algunas cosas que me interesan. Creo que en el fondo te sentirás mejor actuando solo.

René se sintió abrumado, pero no sorprendido. Había ido percibiendo la nueva actitud de su padre, cada vez más centrado en sí mismo, más indiferente con quienes le rodeaban.

—Dejo la empresa en buenas condiciones, aunque no se ha desarrollado, como hubiera querido tu abuelo. En estos tiempos, para triunfar, no basta con hacer bien las cosas: hay que ser un luchador. Reconozco que yo no lo he sido. Pero es un buen negocio y si lo mantienes como yo lo he hecho vivirás siempre cómodamente —suspiró, como si eso fuera todo a lo que hubiera que aspirar y él supiera que era poco.

Cuando el señor Dufour se restableció, hubo un breve acto legal en el que se transmitieron los poderes de la empresa a René, que no pudo evitar un estremecimiento interno: su padre le miraba como si todo el pasado de la familia descansara sobre sus hombros. Sus ojos expresaban satisfacción, liberación.

A partir de aquel momento, su vida social aumentó. René halló cierta satisfacción en emplear su inteligencia frente a hombres como él. Era un terreno nuevo, que le entretenía. Bien podía decirse que había conseguido su puesto en el mundo.

A la salida de un restaurante se encontró con Fanny, que iba acompañada de unos amigos. Seguía siendo la mujer a la que todos miran. Dos días después, Fanny lo llamó por teléfono.

—Hacía tiempo que quería llamarte —dijo—. Te has convertido en un hombre importante. Todo el mundo habla de ti.

La voz de Fanny sonaba rara. Era otra Fanny, menos serena, menos segura. René se interesó por su vida. Fanny la describió con aparente entusiasmo. Tenía una bonita casa, algo alejada del centro. Tenía que ir a conocerla. Seguía ayudando a sus padres en el negocio. Por lo menos, hasta que tuviera niños. Todavía no los tenía. Cuando aquella relación de cosas concluyó, René la invitó a tomar una copa y Fanny aceptó.

—Al fin, ¿qué hay de raro en que nos veamos? —preguntó Fanny—. Somos viejos amigos.

No era raro ver a Fanny, era lo normal. Era el signo de que la vida se había estabilizado alrededor de una línea: pasaban siempre las mismas cosas.

19

Un día de invierno llegó la noticia de la muerte de Westley. Katherine Westley, hermana de Leonard, firmaba una larga carta que remitía desde la India. Allí había ido a parar y a morir Westley. El tono que empleaba la hermana traslucía una combinación de admiración y condena hacia la vida errante de Leonard. Había contraído unas fiebres intermitentes que nadie consiguió curar. Había ido empeorando gradualmente. Cuando avisaron a la familia y Katherine tomó la decisión de desplazarse hasta aquel lugar de la India, Leonard estaba casi desahuciado. Se había hecho adicto a la morfina y no quería comer. Sus ojos oscuros se hundían en un rostro afilado, descarnado. Su buen humor de siempre se había transformado en una actitud filosófica, pasiva, de impotencia. Sabía que avanzaba hacia la muerte y no la rehuía.

Leonard había hablado a Katherine de René y le había dicho que él había sido su único amigo. En la mente turbada de Leonard, René se había convertido en un personaje mítico: un hombre atormentado que ha nacido en un lugar y un tiempo equivocados. Un hombre sin destino, aunque con el anhelo de tenerlo. Katherine, que se iba a quedar en la India no se sabía hasta cuándo, se había sentido en la obligación de dar cuenta a aquel único amigo de su hermano de la devoción que le había inspirado. Katherine Westley no compartía las ideas de su hermano. Era una persona religiosa que encontraba el camino hacia Dios en toda la materia animada e inanimada de la tierra. Pero era, también, lo suficientemente inteligente y sensible como para comprender que no todos podían ver lo que ella veía. Hacia ellos sentía compasión y amor.

Aquella carta causó a René una profunda impresión. Las vidas ajenas penetraron en su casa de forma violenta; el cuarto donde Westley había pasado los últimos días, los últimos meses de su vida, inyectándose morfina, febril, con los ojos fijos en el techo, únicamente asistido por un criado; el calor, las moscas, las suciedad, el lecho desordenado; todo ello irrumpió en su mente, anonadándola. Lo imaginó más delgado, con la expresión de seriedad que tenía raras veces. ¿Cómo podía cambiar la vida tan violentamente? No había pensado que volvería a ver a Westley, pero tampoco había supuesto que desaparecería tan pronto y de forma tan dramática. Todo lo que Westley le había referido a su hermana, el retrato de sí mismo que a través de Katherine Westley le venía, le ofrecía una visión llena de luz que se le escapaba en seguida. Si Westley no hubiera muerto, si su hermana no hubiera asistido a su extinción, a su agonía, nunca hubiera sabido lo que pensaba de él. Aquel amigo, que presumía de frialdad, revelaba un corazón necesitado de admirar a sus semejantes. Había sido arrancado de la vida sin poder expresar el afecto que sentía hacia ellos. Acaso le había bastado con la presencia de su hermana, tal vez a ella le había podido decir que le agradecía el largo viaje. René veía de golpe el interior de Westley, a quien había confiado el suyo de forma instintiva sin que él le diera nada a cambio. Aparte de los muchos tíos y tías que mencionaba, no había dado un detalle íntimo de su vida. Jamás había hablado de sus sentimientos.

Las frases que Katherine empleaba para transmitir la admiración de su hermano Leonard por René resultaban tan extraordinarias que René no podía creer que se refiriesen a él. Tenía que existir una equivocación y, sin embargo, le constaba que no, que aquel Leonard al que Katherine lloraba era su amigo, su compañero en las aventuras del crucero y en largos paseos por la ciudad, quien escuchaba pacientemente sus lamentos sobre la falta de voluntad y quien, al fin, le golpeaba levemente la espalda como si quisiera empujarlo para seguir andando, aunque con más despreocupación.

20

Una tarde, aprovechando que los días empezaban a alargarse, René dio un largo paseo al salir de la oficina. Seguía la orilla del río, observando la actividad de los cargueros: ese mundo ajeno al suyo, pero tan consustancial al alma de la ciudad. El dolor que le había producido la muerte de su amigo había dado paso a un nuevo gusto por la vida, por todos sus detalles. El reflejo del sol sobre la superficie del agua le llenaba de una dulce paz. Se apoyó en la balaustrada, en el límite de la Explanada, contemplando a los últimos viandantes. Había oscurecido ya, pero la noche era limpia; el cielo se estaba llenando de estrellas. René se sentía inmerso en ese sentimiento, que algunas veces nos invade, de unidad con el universo y con nuestros semejantes y que, si bien nos da conciencia de nuestra insignificancia, nos ofrece, al mismo tiempo, el consuelo de saber que todo responde a un plan oculto y trascendente.

Detrás de él, el Garona seguía su curso hacia el Atlántico. Los hombres se disponían a dormir después de un día de trabajo, de dificultades, de placer o de amor. René sacó la pipa de su bolsillo, sin llegar a encenderla. Vio entonces que, a unos metros, un hombre contemplaba el río en actitud ensimismada. Su perfil le resultaba familiar. Era un hombre mayor. Apoyaba sus brazos en la balaustrada y sus manos temblaban ligeramente en el aire. El hombre se volvió hacia René.

—¿Es usted el señor Bernard? —preguntó René, sin mucha seguridad.

El hombre examinó despacio a René. Luego, apenas sin moverse, dijo:

—¿Es que nos conocemos?

—Permítame que me presente —dijo René, acercándose—. Soy René Dufour. Fui amigo de su hija Suzanne.

En los ojos del señor Bernard se encendió una pequeña y débil luz como la llama de una cerilla.

—Le recuerdo a usted —suspiró—, le recuerdo a usted.

El señor Bernard volvió su mirada hacia el río. Musitaba algo como para sí. Después de un rato, se dirigió a René, que, a su lado, guardaba silencio.

—Vamos a celebrar este encuentro —dijo, desprovisto de alegría, el señor Bernard.

Su mano temblorosa descansó sobre el brazo de René. Atravesaron la calle y se adentraron en las callejuelas del muelle. El señor Bernard condujo a René a una taberna oscura, grande, despoblada. Un mozo les atendió en seguida. El señor Bernard, en cuanto vació su vaso, empezó a hablar. René evocó la conversación que había tenido lugar en el salón de la casa de los Bernard, pero toda aquella amargura parecía haber desaparecido. El señor Bernard estaba ahora de excelente humor. No se lamentaba de las manías de su mujer ni del vulgar destino de su hija mayor, su preferida. Hablaba del aire de la primavera y de los viajes de su juventud. En sus ojos se reflejaba el brillo de las ilusiones pasadas. Parecía haberse repuesto del golpe de ser abuelo. Quién sabía si no pasaba muchas tardes así, callejeando por los muelles, bebiendo y narrando recuerdos a interlocutores desconocidos. René asentía. Comprendía al señor Bernard, ahora, en la taberna, como lo había comprendido la lejana tarde en que se había dirigido hacia su casa para hacer a Suzanne una declaración de amor. Allí estaban de nuevo los dos, en un cuarto oscuro, solos, todavía con sus sueños y obsesiones.

LAS CAPITALES DEL MUNDO

1

Lillian Skalnick llegó a París una primavera, cuando los árboles de las avenidas reverdecen y el Bosque de Bolonia se llena de paseantes en busca de encuentros fortuitos. Había estado en Europa en su adolescencia. Su padre, como muchos de los inmigrantes que logran enriquecerse en los Estados Unidos, quiso realizar un costoso viaje a Europa para enseñar a sus hijos su lugar de procedencia. El objetivo de aquel viaje no llegó a realizarse. John Skalnick, inesperadamente, anunció una mañana que debían regresar. Alegó razones de negocios y en aquel momento sus hijos le creyeron. Patrick, el mayor, nunca lo comentó, pero Sheilla y Lilly dedicaron muchas horas nocturnas a tratar de explicar el cambio que iba percibiéndose en el hogar. Algo se había roto y había empezado a hacerse sentir a partir de aquel viaje truncado. Poco después, la vida familiar se transformó. El matrimonio se separó. Los hijos se encontraron solos frente a su futuro. Ésa era la idea que les habían inculcado, pero entonces les tocó hacerla realidad. Se hicieron turnos para las vacaciones. No era fácil que los tres coincidieran al mismo tiempo en una de las casas. Cada uno tiró por su lado. Patrick se casó en seguida y apenas se le volvió a ver. Sheilla terminó sus estudios, entró a trabajar en un laboratorio y se convirtió en una investigadora tenaz. Parecía siempre muy atareada. Se rumoreaba que tenía un asunto con un hombre casado y por esa razón, cada vez que se reunían, su madre la miraba compasivamente. Le ponía un momento su mano arrugada, llena de manchas oscuras, adornada con pulseras y anillos, sobre su brazo y preguntaba suavemente: «¿Todo bien?» Sheilla asentía. Sabía de qué estaban hablando: de esa vida oculta, íntima, única razón de la felicidad.

Con Lillian era distinto. Se la consideraba heredera del carácter fuerte de su padre, de modo que todos se permitían opinar sobre su vida sin temor a ofenderla. Sus aficiones habían sido establecidas muy temprano: se quedaba absorta frente a las cámaras de fotos y, más tarde, el cine acaparó todo su interés. A nadie le extrañó que se marchara a Hollywood y acabara instalándose allí. Se casó enamorada y se decepcionó en seguida. Stephen, su marido, empezaba a ser conocido como actor y no renunció a cuantas oportunidades le surgieron aquel primer año de su matrimonio. Lilly había esperado otra cosa. Puso sus condiciones. El actor no cedió. La inteligencia y vitalidad de Lilly no compensaban las sastisfacciones de su oficio. La unión había durado un año.

Puede decirse que Lilly alcanzó una de las cumbres de su carrera profesional el día en que Allan Rutherford le comunicó que la había propuesto a una revista para realizar un amplio reportaje en Europa. Hasta la fecha, Lilly no había cruzado muchas palabras con Allan Rutherford. Lo admiraba, como todas las personas de su mundo. Sus fotografías no sólo eran técnicamente impecables sino que producían esa sensación de extrañeza que muchos llaman genialidad y que sitúan al objeto admirado en un lugar lejano, inasequible. Allan no tenía fama de persona sociable y no era usual que impartiera consejos. Lilly, mientras le escuchaba, se decía que aunque no consiguiera aquel contrato recordaría siempre ese rato de conversación con él. Días más tarde, el director de la revista dio una cita a Lilly. La entrevista fue breve. Lilly firmó el contrato y percibió una buena suma de dinero como adelanto.

Hacía mucho tiempo que Lilly no comunicaba sus decisiones a su familia, pero antes de emprender el viaje, por raras asociaciones de pensamientos, se despidió de su padre. «Llama a Hélène», dijo él después de desearle suerte. Hélène era la segunda mujer de su padre. De hecho, también se había separado de ella, pero se veían con frecuencia. A diferencia de la primera mujer, que se había refugiado en su ciudad natal y vivía semirrecluida en la misma casa donde había nacido, Hélène, después de separarse de John Skalnick, no regresó a su país. Había dejado tras de sí a una familia, a veces hablaba con cierto dolor del único hijo que había tenido y al que apenas conocía, pero le gustaba la vida en América. John había sido para ella un mediador, la había introducido en la sociedad americana. Ella había sabido abrirse paso; dirigía un taller de modas en Nueva York. Obedeciendo a los deseos de su padre, Lilly llamó a Hélène. Al conocer aquellos planes, Hélène habló con entusiasmo de las muchas excelencias del país que había abandonado. Al final, le pidió un favor y lo hizo tímidamente. Su voz se quebró al pronunciar el nombre de René, su hijo. Quería que recibiera recuerdos suyos.

2

Lilly había anotado en su libreta un buen número de direcciones. Allí estaba escrita la de Benjamin Harrison, un amigo de Hollywood que un buen día había hecho las maletas y se había marchado a París. Transcurrió una semana durante la cual Lilly realizó varias entrevistas. Empezaba a pensar que hacer aquel reportaje no era una cosa ni tan sencilla ni tan apasionante como había imaginado. Había visto a algunas personas clasificadas previamente como muy interesantes y en realidad le habían aburrido. Fue entonces cuando llamó a Ben Harrison.

Ben reaccionó a la llamada de Lilly con vehemencia. Había sido un muchacho atractivo, de gran éxito con las mujeres y era, todavía, un hombre de aspecto interesante. Se dedicaba a comprar y vender cuadros y acababa de ampliar su negocio al de las antigüedades. Le gustaba divertirse y conocer gente extravagante y dividía su tiempo entre el trabajo y las diversiones. Se encontraba descansando en la cama junto a una joven cuando al otro lado del hilo telefónico surgió la voz de Lilly. Lanzó grandes exclamaciones de asombro, como si todos los proyectos de su vieja amiga fueran lo más admirable que cupiera hacer en el mundo. La chica que dormitaba a su lado se dio la vuelta, sin entender la conversación. Ben se acariciaba su torso desnudo, satisfecho de cómo se habían ido depositando los años sobre su carne. Instó a Lilly a que lo visitara en su buhardilla en cualquier momento de la tarde; tomarían algo y saldrían a disfrutar de la vida nocturna. ¿No era increíble encontrarse en París al cabo de los años?

Lilly colgó el teléfono, aliviada. Inmediatamente, empezó a preocuparse, ¿no había envejecido mucho? Observó su rostro en el espejo. No se podían ocultar los años transcurridos. Abrió el armario; toda esa ropa había sido comprada con cuidado y, sin embargo, nada parecía adecuado. Horas más tarde, el recibimiento de Ben disipó todas sus dudas.

—¡Por todos los demonios, Lilly! —exclamó—. No me atrevo a abrazarte. Voy a estropear tu traje —pero se atrevió y abrió sus brazos.

Lilly se dejó estrechar mientras Ben la conducía a través de un corto pasillo al centro de la casa: la habitación que servía de cuarto de estar, cocina y dormitorio.

La chica que había compartido el lecho con Ben todavía estaba allí, pero vestida. Ben presentó a las dos mujeres, que se examinaron en silencio. No había informado a ninguna de las dos sobre la existencia de la otra. Un aire de sorpresa flotó entre ambas. Ben bajó el volumen del tocadiscos y preparó unas tazas de café. Lilly buscó con los ojos un asiento y al fin se decidió a sentarse sobre la cama, muy baja y cubierta de almohadones. Desde esa perspectiva, examinó a Ben. Le habían salido canas, se había dejado una barba rubia y había engordado varios kilos. Llevaba ropa muy gastada. No era el Ben Harrison que había conocido sino otro hombre y prefería al nuevo: un hombre experimentado, de mirada algo cínica y, sin embargo, prometedora. Por la manera en que se movía por el pequeño espacio de la habitación parecía que estaba en el secreto de todas las claves de la vida. Después de repartir las tazas de café, se echó sobre la cama, junto a Lilly, y le pasó el brazo por encima de los hombros. Lilly dejó caer el peso de su cuerpo sobre el de Ben.

—Háblame de ese estupendo proyecto —dijo Ben—. Siempre he sabido que llegarías adonde quisieras.

Por el tragaluz se veía el cielo de la tarde, que declinaba. La muchacha francesa, sentada en la única butaca del cuarto, los miraba con remota curiosidad. Lilly expuso a Ben sus planes de trabajo.

—Te voy a presentar a muchas personas —dijo Ben—. Son personas distintas, con opiniones muy personales. Pero tienes que quedarte más tiempo, una semana es muy poco.

Lilly cruzó las piernas sobre la cama. La mirada de Ben recorrió despacio aquellas piernas y Lilly fue consciente de ello. ¿Entrevistas, fotos? Su cuerpo se sentía dominado por una intensa languidez. Ben acarició su pelo y susurró unas dulces palabras a su oído.

3

Ben no orientó a Lilly tanto como había prometido aquella tarde, pero consiguió que el tiempo discurriera muy de prisa. Lilly no volvió a sentirse desanimada. Salía a la calle temprano, cargada con sus cámaras. Ben era su punto de referencia. No hablablan mucho. Sólo se necesitaban en algunos momentos. Ninguno de los dos pedía más. Lilly se sorprendió cuando Ben le propuso que pasaran juntos el verano. Lilly pensaba ir a España; ese era un viaje que él también había pensado hacer. Como todavía no podía dejar su negocio, quedaron en encontrarse en Granada. Lilly quería detenerse unos días en el norte de España. Al pasar por Burdeos, iba a llamar a René. Quería darle recuerdos de Hélène. Sabía que a ella le gustaría. Ben escuchó aquellos planes con expresión pensativa.

—Entonces voy a pedirte un favor —dijo.

Parecía un favor sencillo. Se trataba de acompañar a un joven llamado Jean-Paul, que iba a Burdeos a reunirse con unos amigos. El chico era menor de edad y, según dio a entender Ben, se había visto envuelto en un asunto desagradable. Era un buen muchacho. Los amigos de Burdeos, un matrimonio llamado Valmont, se harían cargo de él. Ella era americana, una chica encantadora. Lilly podía alojarse en su casa.

Al llegar a Burdeos, Lilly se dirigió al hotel, donde dejó las maletas. Después, en un taxi, acompañó al chico a la casa de los Valmont.

Eran las primeras horas de una tarde de verano. La gente paseaba lentamente por la calle, disfrutando de los primeros días de calor, todavía no muy intenso. Miró a Jean-Paul, con quien apenas había cruzado un par de frases durante el viaje. Era un muchacho silencioso, pero sus ojos, de color castaño claro, parecían soñadores. Advirtió en aquel momento la corrección de su perfil y se preguntó en qué turbios asuntos se habría metido en París. Durante el viaje, apenas había reparado en el muchacho y ahora que iba a dejarlo se decía que hubiera debido esforzarse un poco en entablar una conversación con él.

El taxi se detuvo. Evidentemente, los Valmont no eran personas adineradas. El barrio, de calles estrechas y casas de sucia fachada, no inspiraba confianza. Lilly, en tono animoso, emprendió el acceso de las escaleras que conducían al piso de los Valmont. Jean-Paul la siguió sin ningún comentario.

Los Valmont no estaban en casa. Lilly presionó el timbre varias veces, pero nadie acudió a abrir. En los labios del muchacho se esbozó una sonrisa fugaz. Lilly suspiró.

—¿Sabes si Ben les había avisado de tu llegada? —preguntó.

Jean-Paul se encogió de hombros.

—Alguien tiene que saber dónde están —dijo Lilly—. Preguntaré en la portería.

El portero no era hombre de muchas palabras. Al oír el nombre de los Valmont frunció el ceño y movió la cabeza hacia los lados. Luego dirigió a Lilly una mirada de desaprobación, y quiso saber si era pariente de ellos. Lilly negó con la cabeza.

—¿No sabe usted dónde están? Tenía que darles un recado.

—Demasiada gente viene aquí con recados —replicó el hombre, malhumorado—. Se han marchado —dijo, señalando con el dedo índice hacia el piso de arriba—. Nunca dicen adónde van.

Lilly sacó una tarjeta y escribió unas líneas. Se la tendió al portero con una propina. Jean-Paul la observaba silencioso.

—Espero que vuelvan pronto y me llamen al hotel —dijo Lilly, de nuevo en la calle.

El chico parecía indiferente a cuanto sucedía y Lilly empezó a arrepentirse de haber aceptado aquella responsabilidad. Volvieron al hotel y Lilly trató de localizar a Ben, pero no lo encontró. No era fácil dar con él. Pasaba mucho tiempo fuera de casa, recorriendo tiendas de antigüedades. A última hora de la tarde, Lilly pidió una habitación para el chico que, entre tanto, había esperado pacientemente en la terraza. Se había comprado una revista y la había extendido ante sus ojos. Murmuró algo que Lilly no entendió y tomó la llave de su cuarto. No parecía contrariado, ni siquiera sorprendido. Lilly trataba de reprimir su irritación, pero no podía. Jean-Paul no parecía acusar la impaciencia de Lilly.

Lilly se despertó muy tarde. Era una mañana soleada. Se sentía bien. De repente, recordó el asunto del muchacho. Llamó a Ben, pero ya debía haber salido de casa. El timbre del teléfono se repitió en el vacío. Más tarde, en compañía del muchacho, volvió a emprender el camino hacia la casa de los Valmont. No habían vuelto. Esta vez el portero fue más amable y prometió que él mismo avisaría en caso de que regresaran. Lilly miró a Jean-Paul. Sus ojos castaños sonreían, pero sus labios estaban cerrados.

—Tengo que encontrar a Ben —susurró Lilly.

4

Fue imposible hacerlo. Ben debía haberse marchado de París. Los Valmont seguían sin aparecer. Lilly paseaba por la ciudad. No había esperado que fuese tan hermosa. Hélène apenas se la había descrito. Miraba con curiosidad hacia el interior de las casas, tratando de imaginar cómo sería la vida allí. No había en las calles el movimiento de París y en cierto modo a Lilly le intrigaba más esa vida plana, sumergida en la rutina, que la agitación permanente de una gran ciudad.

Cuando se decidió a llamar a René tenía preparado un verdadero interrogatorio sobre la historia de la ciudad. Pero René tampoco estaba. Una doncella muy amable informó a Lilly que el señor se había marchado hacía unos días a un largo viaje. Era su costumbre durante el verano. Se diría que todas las personas capaces de ayudarla habían desaparecido. Lilly examinó su libreta. Hélène le había dado otras direcciones de Burdeos. No se perdía nada con probar. Marcó el número de los señores Clement y preguntó por la señora. En aquella ocasión nada falló. La señora Clement, en cuanto supo quién le estaba hablando, desplegó una gran simpatía e invitó a Lilly a almorzar aquel mismo día.

—Todos se han ido ya de veraneo —comentó, después de saber que Lilly no había encontrado a René—. Nosotros por ahora no podemos marcharnos. Afortunadamente, todavía no hace calor y nuestra casa es muy fresca. ¡Pero venga pronto! Estoy deseando preguntarle muchas cosas.

De camino hacia la casa de los Clement, Lilly trató de recordar lo que Hélène le había dicho de ellos. Eran propietarios de una buena cantidad de hectáreas y su casa de campo lindaba con la de los Dufour. El primer marido de Hélène había sido un Dufour. Todas las preguntas que Lilly había pensado formular a René podrían servir de materia de conversación con los Clement. Lilly tenía otra idea respecto a los Clement: quería pedirles ayuda. Había preguntado a Jean-Paul qué pensaba hacer y el chico, acompañando sus palabras de un movimiento de hombros, había dicho que podría encontrar una ocupación hasta que llegaran los Valmont. Él mismo no conocía a los Valmont y no sabía qué destino le esperaba con ellos. Aquello parecía sensato.

—¿Qué tipo de ocupación? —preguntó Lilly.

—Me gustan los coches —dijo Jean-Paul, y mostró con una leve sonrisa la revista que llevaba en la mano, llena de fotos de coches y motores.

Lilly observó aquellas páginas que el chico le mostraba con cierta curiosidad. A ella no le interesaban los coches, pero le asombraba el interés del muchacho. ¿Era de eso de lo que hubieran podido hablar durante los silenciosos almuerzos o mientras contemplaban desde las terrazas a la gente que desfilaba ante sus ojos?

—¿Tienes dinero? —preguntó.

—Un poco —dijo Jean-Paul.

Si los Clement resultaban personas amables, tal vez le hicieran alguna sugerencia respecto a la ocupación que buscaba Jean-Paul. Ese poco dinero al que se había referido no duraría muchos días.

5

La señora Clement había sido siempre habladora y entrometida y no había habido episodio de la ciudad que hubiera escapado a su conocimiento y del que no le hubiera gustado ofrecer su propia versión. Con la edad, su curiosidad había disminuido. No quería saber. Se contentaba con hablar. Cuando, muchos años atrás, la señora de Dufour, amiga suya, había cambiado radicalmente de vida, había sido la primera en escandalizarse y criticarla públicamente. Pero el escándalo se había ido apagando. Hélène había vuelto a la ciudad en un par de ocasiones. Era fácil criticarla durante su ausencia. Ante ella, todos enmudecían. Mientras había vivido en Burdeos había sido el centro de atención de muchas miradas. Los años no habían minado su belleza ni sus energías. Había destacado en Burdeos y era ahora una dama cosmopolita, una mujer de negocios que había triunfado en Nueva York. Sus antiguas amistades, que tantas veces se habían prometido no volverla a saludar, la acogieron con esforzada naturalidad. La señora Clement fue la primera que le abrió las puertas de su casa dando al mundo una lección de benevolencia. No percibió que Hélène no requería ninguna sanción. Estaba explorando en su pasado y no se detenía en los detalles. Sólo los encontraba divertidos.

La señora Clement invitó a Lillian Skalnick a almorzar porque necesitaba nuevos interlocutores. Ya nadie la escuchaba mucho. Sus historias eran siempre las mismas. Las repetía y alargaba mientras su auditorio reprimía educadamente los bostezos. Recibió a Lilly con afectadas muestras de cariño, le preguntó por Hélène, apenas le dio tiempo a contestar y se lanzó a uno de sus largos monólogos. El almuerzo, dijo, había sido improvisado. Había que excusarla. En verano todo se desorganizaba un poco. El señor Clement, un hombre de aspecto paciente, respondía con monosílabos, muchas veces inadecuados, a las preguntas que le dirigía su mujer. El hijo mayor del matrimonio, Michel, había sido también invitado al almuerzo. Miró a Lilly con desinterés mientras su madre explicaba que Florence, la mujer de Michel, había iniciado ya sus vacaciones en el campo.

A lo largo del almuerzo la mirada de Michel Clement permaneció ausente. Era difícil para Lilly seguir la conversación de la señora Clement. Mientras aparentaba escucharla, examinó a Michel. Era un hombre que rondaba los cuarenta años, de facciones correctas y ademanes cultivados. Parecía satisfecho de sí mismo. La señora Clement dejó bien definidas sus virtudes y el orgullo que inspiraba en sus padres.

Fue un alivio para todos que el almuerzo concluyera. La propia señora Clement, a su término, parecía cansada. Se sirvió el café en el salón. El señor Clement, en cuanto hubo apurado su taza, se excusó y desapareció. La señora Clement, momentos después, dio un suspiro y cerró los ojos. Durante unos instantes, Lilly y Michel permanecieron callados. Lilly rompió aquel silencio. El hogar de los Clement despertaba en ella la curiosidad por la vida de Hélène que ella no había conocido, por aquel hijo abandonado.

—¿Lo conoce usted mucho? —preguntó, refiriéndose a René.

—Es un hombre solitario —repusó Michel, negando levemente con la cabeza.

Michel Clement no quiso ampliar aquella afirmación. Volvió a hundirse en el silencio. Los ronquidos de la señora Clement eran el único ruido que se escuchaba en el cuarto. Lilly intentó entablar una conversación, pero Michel respondía a sus preguntas de forma lacónica. Al cabo de un rato, consultó su reloj. Lilly se puso inmediatamente de pie.

—Me parece que estoy abusando de su tiempo —dijo, y

miró a la señora Clement, que seguía durmiendo—. ¿No cree que debo despedirme de su madre?

Los finos labios de Michel se curvaron en una sonrisa.

—Desde luego que no —dijo—. Yo no me atrevería a turbar su sueño.

Michel se dirigió hacia la puerta, se detuvo ante ella y cedió el paso a Lilly.

—¿Quiere que la lleve en coche al hotel o prefiere dar un paseo? —preguntó.

—Me gusta andar —dijo Lilly.

—Hay que atravesar el parque —dijo Michel.

Muchos ciudadanos de Burdeos parecían haber tomado la decisión de Lilly. Por los senderos de tierra que se abrían en el parque andaban despacio, disfrutando de la suave temperatura del día. Grupos de niños corrían y gritaban. Los ancianos, sentados en sillas de hierro, parecían meditar, melancólicos, sobre los abismos de la vida. Lilly, junto a Michel Clement que, inesperadamente, había comenzado a hablar, se sintió cercana a aquellas personas. Aquella ciudad desconocida, en la que tan difícil era encontrar a las personas a las que se buscaba, le proporcionaba aquel momento de paz. Una brecha se abría en el panorama gris mientras Michel Clement, levemente inclinado hacia ella, hablaba, en tono íntimo, casi confidencial, de todo aquello que veían: la gente que les rodeaba, el verano ya en puertas. Y eso, tan hermoso, representaba también las limitaciones de la ciudad. Las palabras de Michel Clement no eran nuevas, ni original la lamentación que se derramaba a través de ellas, pero agradaron a Lilly, le hicieron sentirse solicitada. Cuando llegaron a la puerta del hotel, se había establecido entre ellos una complicidad y los dos esperaban que la despedida viniera seguida de una cita.

—¿Está usted sola en la ciudad? —preguntó Michel.

Lilly miró a Michel mientras negaba con la cabeza y pensaba que ese era el momento de hablar de Jean-Paul. En los ojos oscuros de Michel había un fondo de impaciencia y eso fue lo que empujó a Lilly. Le habló de Jean-Paul como si fuese su sobrino y de los Valmont como viejos conocidos que, inexplicablemente, habían fallado. No mencionó a Ben ni los supuestos incidentes desagradables por los que Jean-Paul había tenido que huir de París. Jean-Paul deseaba alejarse de aquel ambiente y ella se había ofrecido a ayudarle. Pero la ausencia de los Valmont lo complicaba todo. Tenía que proseguir su viaje. ¿Qué hacer con el muchacho?

—Confieso que estoy un poco arrepentida por haberme metido en su vida —concluyó Lilly—. Al fin, fui yo quien convenció a sus padres.

Michel revolvió sus manos en el interior de los bolsillos. Su cuerpo se balanceó ligeramente sobre los pies.

—¿Qué es lo que piensa hacer? —preguntó divertido.

—No lo sé. El chico dice que podría trabajar. Entiende mucho de motores.

—Parece que se ha metido usted en un lío —dijo Michel, acariciándose la barbilla.

Lilly suspiró y mantuvo su mirada fija en los ojos de Michel.

—Dígale al chico que venga a verme mañana a mi despacho —Michel sacó una tarjeta de su cartera y se la tendió a Lilly—. A las nueve —concretó. Luego, tosió levemente—. Tal vez podríamos almorzar después juntos.

Lilly aceptó la invitación con una sonrisa.

—Pasaré a recogerla a mediodía —dijo Michel, con un ligero temblor en el fondo de la voz.

Lilly abandonó un momento su mano en la de Michel y sus preocupaciones respecto a Jean-Paul, que nunca habían sido excesivas, se desvanecieron.

6

Florence y Michel Clement no habían tenido hijos. La familia, y la parte de Michel que asumía la representación familiar, se había sentido decepcionada, pero en el fondo había sido conveniente. La salud y el carácter de Florence no permitían imaginar una madre muy dedicada o con gran capacidad de organización, como había sido la madre de Michel. No tener hijos les permitía a su vez mantener unas vidas independientes.

Michel era el único de los hermanos que no había tenido descendencia. El conocimiento que tenía de la juventud se circunscribía a sus sobrinos. Por lo que Michel sabía, sus problemas se limitaban a escoger los estudios adecuados, a concertar citas para practicar deportes y a buscar los lugares donde el ocio de la temporada estival prometiera mayor diversión. Pero cuando tuvo a Jean-Paul frente a sí, al otro lado de la gran mesa de su despacho, supo que era distinto a los jóvenes que conocía. Su mirada sugería unos dilemas más complicados. Para empezar, no iba vestido de la forma en que uno se presenta a una entrevista. Un pantalón gastado y un suéter oscuro le habían resultado suficientes. El chico no tenía experiencia laboral alguna. Había vivido o con sus padres o en casas de amigos. Respondía con lentitud al interrogatorio de Michel y lanzaba largas miradas hacia la ventana, como si deseara encontrarse ya fuera de aquel cuarto y todo aquel asunto del empleo fuese algo que hubiera sido planeado al margen de su voluntad.

Mientras Michel se esforzaba por clasificarlo, sintió, súbitamente, que su interés por Lilly aumentaba. La extrañeza que le producía el muchacho parecía ligada a un deseo que se iba cargando de ansiedad.

La mirada del chico se iluminó cuando Michel le mencionó los motores. Había pasado, dijo, muchas horas en un taller observando la labor de un amigo y a veces ayudándole.

A causa de los frecuentes viajes de Florence, Michel necesitaba otro chófer. Aunque el muchacho era demasiado joven, decidió que Jacques, el viejo chófer de los Clement, le sometiera a un examen. La ocupación no parecía muy digna para el sobrino de una amiga de la casa, pero Michel estaba convencido de que a Lillian no le resultaría una idea tan descabellada. Ya tenían, al menos, algo de qué hablar durante el almuerzo.

Horas después, Michel expuso a Lillian sus conclusiones. Lillian se mostró de acuerdo: sería una experiencia para el chico trabajar como chófer durante algún tiempo. Con un alivio no disimulado, dijo que ya había consultado los horarios de los trenes y que se iría de la ciudad lo antes posible. Le quedaban muchas cosas por ver. La seguridad de Lilly maravilló a Michel. No había ninguna garantía respecto a aquel empleo y, en cualquier caso, habría que solucionar el problema del alojamiento. Pero a Lillian nada le parecía un obstáculo.

—¿Podré localizarla en España? —preguntó Michel.

Lillian consultó en su libreta los nombres de los hoteles en los que pensaba alojarse.

—No sé cuánto tiempo estaré en cada lugar —observó—. No tengo ninguna idea preconcebida. No se sienta demasiado obligado respecto a Jean-Paul —sonrió—. Tiene familia y amigos.

—No parece seriamente preocupada por él.

—Creí que era mi deber sacarle de París, pero debo proseguir mi viaje.

La atracción que Michel sentía hacia Lillian no disminuyó, pero a ella se fue a mezclar un estremecimiento. A pesar de que la fortaleza de carácter era uno de los más altos valores en el seno de la familia Clement, la demostración de despego de Lillian hacia su sobrino resultaba excesiva. ¿Era aquel un rasgo que debía interpretarse a la luz de la esencia americana? Lillian Skalnick parecía indiferente a cuanto se pudiera pensar de ella y Michel creyó atisbar un brillo irónico en sus ojos cuando le explicó, por enésima vez, que el trabajo no era nada seguro y que, incluso si el muchacho merecía la aprobación de Jacques, no podía garantizarle la estabilidad del empleo.

Lilly, animada por el vino, el calor de la tarde y la dulzura del paisaje que los rodeaba —Michel le había llevado a un antiguo hostal desde el que podían contemplarse extensos prados y grupos de frondosos árboles—, no prestaba mucha atención a las palabras de Michel. Disfrutaba del momento. Tenía una extraordinaria capacidad para interesarse por las cosas sin la avidez que tan a menudo echa a perder el deleite. Jean-Paul había dejado de preocuparle. Su compromiso con Ben se había roto. Sentía una tranquila curiosidad por Michel Clement y se propuso conquistarle. Le gustaba por su mirada inquieta e inteligente, su corrección y, sobre todo, porque sugería una educación basada en principios sólidos. Su madre, la primera mujer de John Skalnick, había recibido una educación a la inglesa y, aunque había sido incapaz de transmitírsela a sus hijos, la había utilizado como constante punto de referencia. La rigidez era para Lilly algo legendario y caduco, pero no despreciable. Condenaba la jerarquización que las normas imponen, pero quería saber a qué problemas respondían. Las verdades generales estaban en la base de toda conducta. Lilly se sentía inteligente y perspicaz al descubrirlas.

La hermosa tarde de verano se extendía ante sus ojos. Lilly, casi involuntariamente, sonrió. Aquel paisaje le proporcionaba más alegría que París. Allí, había hablado mucho, había escuchado muchas teorías sobre la vida, el mundo, el futuro de la humanidad. Las palabras llegaban a sus oídos envueltas en humo, en luces tenues. Las manos, temblorosas, sostenían los cigarrillos, apagaban las colillas en los ceniceros, llevaban a los labios la taza de café, la copa de licor. Pero todas aquellas conversaciones eran ahora un rumor menos potente que el aire que acariciaba el paisaje. Lilly, considerando sus proyectos profesionales y el motivo de su viaje, respiró profundamente. Michel Clement recibió la mirada soñadora, dulcemente ambiciosa, de una mujer que ama la vida y se pone en medio de la corriente, sabiendo que no será arrastrada por ella.

7

Mientras se alejaba de Burdeos, una sensación de liberación, cercana a la euforia, fue invadiendo a Lilly. La aventura con Michel Clement había tenido la medida justa. Había quedado lejos en el mismo momento en que había terminado. Y, con ella, el recuerdo de Benjamin Harrison se había hecho más remoto. Atrás quedaban las horas de amor en la buhardilla, rodeados de ropa desordenada, de libros y revistas por el suelo. Ahora se sentía desligada de ambas historias, fuera ya del interés que le había empujado hacia ellas. Lilly conocía esa sensación, la seguridad que confieren los encuentros ocasionales cuando no ha sido tocado el corazón. El horizonte de la vida aparece más amplio y más claro y el lugar de uno mismo, al que se ha llegado a través de aciertos, errores, batallas libradas y sin librar, como el destino apropiado de una trayectoria coherente o justificada.

Lilly, llena de estas poderosas y vagas sensaciones, se hallaba dispuesta a descubrir más ventajas en su viaje. Un paisaje monótono se deslizaba al otro lado de la ventanilla del tren. Bosques de pinos la rodeaban. Para Lilly, ese camino abierto en el bosque era también un signo de belleza y energía que le concernía directamente.

El episodio de Jean-Paul le hacía sonreír. El viejo chófer de los Clement había dado un veredicto tan positivo que el mismo Michel se había asombrado. Jacques se había entusiasmado con el chico. Él mismo lo había solucionado todo. No sería ningún problema alojar al muchacho. Un hermano de Jacques vivía solo y disponía de un cuarto. En cuanto a la comida, eso tampoco era un problema: que se acercara a comer a su casa los días que no estuviera de servicio. Por lo demás, iba a haber bastante trabajo. Entre el chico y él iban a dar un buen repaso a todos los coches de los Clement. «A toda la flota», había dicho el buen Jacques. Michel, al transmitir la noticia a Lilly, no había podido ocultar un tono de admiración: era el carácter de Lilly lo que había triunfado.

No obstante, había que reconocer que Jean-Paul tenía suerte. Lilly se sorprendía de que un joven como aquel tuviera siempre cerca a alguien que le tendiera una mano, que incluso interviniera decisivamente en su vida. Imaginó a Jean-Paul correctamente vestido de chófer haciendo deslizar lujosos coches por las calles de Burdeos, abriendo las puertas a los señores Clement con ese gesto innato de indiferencia que ningún uniforme conseguiría borrar.

Llegó a San Sebastián al atardecer. Ordenó la ropa en los armarios y pidió que le subieran a la habitación algo de comer. No tenía ganas de acudir al comedor.

Se asomó a la ventana y contempló la bahía; podía abarcarse sin apenas mover la cabeza. Al otro lado de la calle, la gente paseaba plácidamente, apoyándose de vez en cuando en la balaustrada para mirar el mar y a los bañistas rezagados. Aquellos paseantes, aquellos niños que corrían delante de las criadas, aquellas familias parsimoniosas, le trajeron una parte de sí misma, casi olvidada: era la idea de la infancia solitaria, feliz y llena de dolorosos anhelos. Lilly intuyó lo que hubiera sido de su vida si esas ráfagas de emoción hubieran sido alimentadas en la niñez. Aquella visión parecía un sueño. El mar había cobrado un color azul oscuro, las voces se elevaban hasta su ventana. Percibió un aire de abatimiento en los gritos con los que los mayores llamaban a los niños, en su andar cansado, en la forma en que se apoyaban en la balaustrada y se sentaban en los bancos, como si fueran a quedarse allí siempre, contemplando lo que siempre quedaría en el mundo: la belleza del mar y la alegría de los niños. Lilly se identificó con el espíritu que creía entrever. Había dejado tras de sí muchos caminos errados. A veces, una oleada de amargura invadía su alma, pero se obstinaba en seguir descubriendo manifestaciones de nobleza o emoción. La tarde que declinaba, los paseantes que se entregaban a saborear esas horas confusas que marcan la frontera de la noche, se convirtieron en una imagen, un símbolo: lo que pervive es el lento girar de los astros, la melancólica sucesión de las estaciones y de las vidas, la sabiduría de los gestos, las miradas, el tono de la voz.

En el comedor del hotel, se dedicó a observar a los huéspedes. Había un grupo de extranjeros que se ayudaban en los problemas del idioma. Después de la cena, una orquesta tocó en el salón. El rito de acabar el día entre las notas de melodías nostálgicas encantó a Lilly. Recostada en una butaca, examinó el panorama. La gente se había agrupado por edades. Todo parecía indicar que la casualidad, al reunir a aquellas personas en el mismo hotel, había actuado bien.

San Sebastián obsequió a Lilly con un tiempo magnífico. Los días se sucedían suavemente, entre la playa, paseos, excursiones, buenas comidas y el rito de la música nocturna. A pesar de que muchos de los huéspedes del hotel intentaron trabar amistad con Lilly, ella, sin desairar a nadie, mantenía una cierta distancia con todos. Se encontraba bien sola. Había planeado quedarse en la ciudad sólo unos días, pero prolongó su estancia. Todo el mundo le recomendó que permaneciera allí durante los días más calurosos del verano. Coincidía con un tiempo excepcional que debía aprovechar. En Andalucía, el otro punto de España que Lilly pensaba visitar, hacía demasiado calor. Una señora inglesa muy comunicativa, que saludaba a Lilly siempre que la veía, ponía los ojos en blanco al mencionar ese calor.

8

Era la hora de la siesta y en el salón de la música sólo estaba una de las ancianas señoras inglesas, dormitando. Hacía escasos días había llegado una familia alemana. Por la mañana, Lilly los había visto cruzar la calle y bajar las escaleras de la playa vestidos con los típicos atuendos de baño. La madre tenía un aspecto delicado; una doncella la atendía constantemente. El padre se desplazaba siempre con un par de libros bajo el brazo, que abría en cuanto tomaba asiento. Era un hombre apuesto, de expresión inteligente, que gustó a todas las señoras alojadas en el hotel. El matrimonio tenía tres hijos: dos niñas pequeñas y un joven que acababa de cruzar el umbral de la adolescencia.

El padre y el hijo entraron en aquel momento en el salón y se situaron junto a una de las ventanas. El padre llevaba, como siempre, los libros en la mano. Pidieron café y el padre tendió al muchacho un cigarrillo. Debía ser un gesto extraordinario porque el chico dudó. Al fin, lo tomó y trató de encenderlo con naturalidad. Luego se enfrascaron en una lenta conversación que, a juzgar por la intensidad de sus miradas, debía de ser profunda. Lilly, que apenas entendía el alemán, no podía evitar que sus ojos se elevaran hacia ellos. La escena la atraía profundamente. La inflexión de la voz del padre, llena de matices, provista de una gravedad que no se convertía nunca en solemnidad, la subyugaba. El tono de la voz del joven, que sin duda llegaría a ser exacta a la de su padre, denotaba una mezcla de respeto, miedo, timidez y una reserva de audacia que a veces irrumpía de forma inesperada en un giro brusco, algo rudo.

Llevaban casi una hora hablando cuando la doncella de la señora apareció en el salón con el rostro descompuesto. Hacía esfuerzos por contenerse, pero su dolor o su susto pudieron más y al fin avanzó dando grandes gritos. Padre e hijo se levantaron, muy pálidos, y salieron apresuradamente del salón. Lilly salió tras ellos y preguntó a una de las camareras: la señora alemana había empeorado súbitamente. Se avisó a un médico; había recomendado una intervención urgente.

Lilly se encontraba en el vestíbulo cuando apareció el señor Maag y se dirigió a ella en correctísimo inglés: esperaban la opinión de otro médico, pero se ganaría tiempo si se llevaba en seguida a la señora a la clínica. Aunque Lilly se ofreció a acompañar al señor Maag, él rechazó su ayuda.

En el hotel se respiraba un ambiente de excitación que los empleados trataban de controlar. A la caída de la tarde, todo había vuelto a la rutina. En el vestíbulo se registraba el habitual movimiento de gente que entra y sale, maletas, consultas en el mostrador de recepción. Lilly permaneció en su cuarto. Bajó un momento al salón, donde media docena de personas fumaban o leían con aspecto tranquilo. No había rastros de los jóvenes Maag. Probablemente, estarían en su cuarto esperando la llamada del padre. Lilly llamó un par de veces a la dirección, donde tampoco habían recibido noticias de la señora Maag.

Friederich Maag regresó al hotel a la hora de la cena. Bajó con sus hijos al comedor. Se extendió la noticia de que la señora estaba muy grave, pero nadie se atrevía a preguntarle nada. Después de cenar, Lilly se acercó a él. Se estrecharon la mano silenciosamente. Luego, se retiró con rapidez.

La señora Maag murió de madrugada. En el hotel apenas se comentó, pero su desaparición —había pasado por el hotel como una débil ráfaga de viento— dejó en el verano de los huéspedes una huella de dolor. La familia alemana se marchó ese mismo día. Lilly quedó afectada por la triste suerte de aquella familia. El drama había tenido lugar dentro de la tranquila percepción de la vida que le había sido dada desde su llegada a la ciudad. El padre y el hijo, serios, profundos, entregados a una larga conversación momentos antes de que se desencadenara la tragedia, se cristalizaron en su memoria. Mirándolos, había pensado en su propia vida, de la que ellos permanecerían al margen. La vida que le esperaba al joven, la que se había forjado el hombre maduro, seguirían su rumbo. Era un pensamiento que la llenaba de nostalgia, pero que le gustaba. Uno y otro la habían mirado con esa mirada de curiosidad que los hombres dirigen a las mujeres solitarias y bellas.

Sin embargo, al cabo de unos días, sucedió algo inesperado. Lilly recibió un hermoso libro encuadernado en piel, una antología de poesía alemana, acompañado de una tarjeta de Friederich Maag. Siendo un poco excesivo, esto no era lo más raro, sino el remite: venía de Italia. Podía haber alguna explicación lógica, pero la imaginación de Lilly no la supo encontrar.

9

En el hotel de Granada le esperaba una carta de Ben. Anunciaba su inmediata llegada. La carta había sido enviada hacía más de una semana, respondiendo a los primitivos planes de Lilly. Si Ben no había variado los suyos —y nada hacía pensar que había ocurrido algo así: ni otra carta, ni un telegrama, ni una llamada—, se presentaría en Granada en un par de días.

Ante aquel mensaje, Lilly tuvo que admitir que tenía deseos de volver a ver a Ben. De haber recibido la carta en San Sebastián, hubiera reaccionado de forma distinta, pero, después del suceso luctuoso con que había finalizado su estancia allí, necesitaba un apoyo, un viejo conocido. La exaltación sentida tras dejar Burdeos había ido desapareciendo y la soledad no aparecía ya como una categoría tan llena de ventajas. No tenía, además, que hacerle a Ben muchos reproches porque había sabido desembarazarse de Jean-Paul. Se encontraban en igualdad de condiciones.

Para sentirse ocupada durante la espera llamó a los Parker, unos americanos de quienes le habían hablado. Los Parker recibieron a Lilly con los brazos abiertos y le enseñaron la ciudad. Le ofrecieron hospitalidad, pero Lilly postergó la decisión hasta la llegada de Ben.

Después de pasar el día con los Parker, Lilly regresó al hotel. Era medianoche. Lilly entró en su cuarto, se descalzó y se dirigió hacia la ventana abierta. El teléfono sonó a sus espaldas. Era Ben. Estaba en el vestíbulo. Había llegado hacía un par de horas, pero como no había encontrado a Lilly se había ido a cenar.

—Estoy deseando verte —concluyó.

Aquellas dos horas habían dado a Ben un entusiasmo por la ciudad que maravilló a Lilly. Ella llevaba dos días en Granada y, aunque sus anfitriones le habían mostrado con orgullo cuanto había que conocer, se había sentido ajena. Tal vez, el mismo ardor de los Parker había enfriado el suyo.

Apenas hablaron de Jean-Paul. Ben se rió al conocer la forma en que se habían resuelto las cosas y dedicó algunas frases no muy amables a los Valmont, pero Lilly dudaba de que Ben se hubiera puesto en contacto con ellos antes de pedirle que acompañara a Jean-Paul. ¿Qué importaba todo eso ya?

Al cabo de unos días, Lilly se sorprendió pensando en Ben de una forma nueva. En París e incluso antes, en Hollywood, lo había tratado con cierta superioridad íntima. Había pensado que era una persona que podía clasificarse con facilidad. Ahora revelaba una vertiente sensible, apasionada. En ocasiones, parecía introvertido. Se alejaba de Lilly aunque estuviera a su lado. Lilly empezó a comprobar que cuando no estaba Ben todo empalidecía.

Los sentimientos de Ben respecto a Lilly no habían cambiado: le parecía una mujer sólida. Le gustaba su cuerpo y su seguridad. No estaba acostumbrado a dar ni pedir más. Tampoco analizaba si eso era amor; no necesitaba dar nombre a sus sentimientos. El mundo le parecía hermoso y profundo pero no se planteaba adentrarse en su profundidad o explicarse su belleza: le bastaba con pertenecer a él. Estaba muy ocupado visitando tiendas de antigüedades, iglesias, museos y talleres de pintura. A los dos días de su llegada había encontrado un estudio donde se instalaron y al que empezó a llevar toda clase de objetos.

La tarde caía sobre el Generalife. Los ojos claros de Ben lo contemplaban. Sus pensamientos parecían muy profundos. Se llevó el vaso a los labios y dijo, sin mirar a Lilly:

—Ese demonio de muchacho siempre tiene suerte.

Lilly tardó unos segundos en comprender que estaba hablando de Jean-Paul.

—¿Qué clase de hombre es ese Clement? —preguntó Ben, todavía sin mirar a Lilly.

Algo en el interior de Lilly se resistía a hablar de Michel Clement. No se sentía orgullosa de aquella historia. Prefería olvidarla. Trazó en pocas palabras la imagen de Michel.

—¿Y ella? —siguió Ben.

Lilly negó con la cabeza. No había llegado a conocerla. La anciana señora Clement, que no había dejado de hablar durante todo el almuerzo, había dicho que Florence Clement era muy hermosa.

—¿Está su marido enamorado de ella?

—No lo creo.

Ben miró a Lilly con vaga curiosidad. Luego, su mirada se deslizó hacia la mesa y al final quedó perdida en el paisaje.

—Bebes demasiado —dijo.

Aquellas dos palabras sacudieron a Lilly. Parecían haber sido pronunciadas con la expresa intención de herirla.

—Eso no es cierto —dijo al fin Lilly.

Hubo un silencio largo del que ninguno de los dos quiso salir. Lilly trataba de explicarse aquella extraña venganza. Durante aquel día, se había sentido próxima a Ben, casi enamorada. Ahora Ben la rechazaba y presentía que, de decidirse a amarle, sería siempre así. Algo en el interior de Ben se rebelaba. El silencio quedó allí, guardado en el ánimo de Lilly, minando su seguridad.

10

Elisabeth Parker había sido una mujer muy hermosa. No se había resignado al paso del tiempo. Su orgullo había estribado en ser muy guapa siendo muy culta. Ser culta solamente no le parecía nada especial. Cuando empezó a envejecer, envejeció de verdad, seguramente por el miedo que tenía a hacerlo. Pero a veces se olvidaba del esplendoroso pasado y dejaba actuar a su espíritu cultivado e inteligente. Era cuando bebía.

Los Parker llevaban viviendo en Granada diez años: se habían enamorado de la ciudad y de sus habitantes, según declaraban. Aunque pertenecían al tipo de americanos sofisticados —su atracción por Europa sólo era superada por su fascinación por la cultura oriental—, resultaban en ocasiones muy ingenuos. Lionel Parker había sido profesor universitario. Había sido él quien había descubierto Granada. Era un hombre alto, enjuto y muy educado, capaz de asombrarse por todo. Poseía una amabilidad natural y nunca emitía un juicio negativo sobre sus semejantes. Elisabeth respaldaba la bondad congénita de su marido, aunque en ella todo resultaba menos natural.

A ambos les gustaba tener huéspedes en su casa ante quienes desplegar sus atenciones. Cuando Ben llegó, le hicieron extensiva su invitación y les decepcionó que él rehusara. No obstante, cuando Lilly y Ben se trasladaron al estudio, Elisabeth, superado el despecho, les llevó plantas para las ventanas. Elisabeth no concebía una casa sin plantas.

A Ben no le caían bien los Parker. Jamás habrían sido sus amigos en California. Ben nunca había presumido de conocer a un escritor, un actor de cine o un cantante. Si se trataba con ellos era porque se divertía en su compañía. Sentía cierto desprecio por la gente que presumía de algo. No creía, además, en la bondad innata. No estaba seguro de que sirviese de algo. La moralidad era algo que no interesaba a Ben.

Las invitaciones que Elisabeth les hacía eran habitualmente rechazadas alegando otros planes, lo cual no preocupaba a Ben, pero causaba cierta incomodidad a Lilly, que sentía compasión hacia Elisabeth Parker. Algunas tardes la visitaba y, aunque en seguida se cansaba de ella, no dejaba de conmoverse ante la reprimida tristeza con que Elisabeth la despedía, como si tuviera la sospecha de no ser plenamente admitida en el mundo.

Al fin, después de muchas insistencias de Lilly, aceptaron una invitación. Elisabeth había preparado la mesa en el jardín. La luna brillaba en el cielo. El pequeño jardín de los

Parker, suavemente iluminado, parecía el lugar ideal para disfrutar de la noche. Elisabeth se había esmerado y la cena resultó exquisita. Lionel, con su acostumbrada amabilidad, atendía a los invitados mientras Elisabeth iba y venía de la cocina, rechazando toda ayuda. Finalizada la cena, se quedaron hablando en torno al café y los licores, envueltos en el aire cálido.

Elisabeth habló mucho. Se había olvidado de la perdida belleza y la difícil bondad. Contaba, divertida, anécdotas de su vida. La vida de Elisabeth Parker no carecía de interés. Su madre había enviudado muy joven y se había dedicado a escribir seriales para la radio. Las niñas, gemelas, listas y guapas, llamaban la atención. Su madre las llevaba consigo a todas partes. La hermana de Elisabeth empezó con muy pocos años a trabajar en un *music-hall* y Lisa y su madre la veían actuar entre bastidores. La vida de las tres mujeres y su lucha por sobrevivir con cierta dignidad era evocada por Lisa en tono irónico pero con gran cariño. La lejana adolescencia, cuando las dos hermanas escuchaban diariamente una declaración de amor, irrumpía en el presente con algo de su frescor.

Mientras Lisa hablaba del pasado, Lionel la miraba con admiración y Lilly se dijo que seguramente se habría enamorado de ella cuando era una joven alegre y segura de sí misma. Sin embargo, no había sido así y la misma Elisabeth lo aclaró más tarde: Lionel era su tercer marido. Los dos primeros habían sido hombres de carácter muy fuerte y Lisa lo decía satisfecha. Los recordaba con gratitud, pero había tenido la desdicha de volverse a enamorar.

La noche languidecía. Lionel propuso a Ben que subieran al pequeño observatorio astronómico que había instalado en la azotea. Lilly ayudó a Lisa a recoger la mesa. Menos excitada, Lisa parecía feliz: el recuerdo del pasado iluminaba sus pupilas.

—Ben parece un buen muchacho —dijo a Lilly.

Lilly sonrió.

—Ya no somos muchachos ninguno de los dos.

—Tienes toda la vida por delante, Lilly. Encontrarás el hombre que necesitas. Todas las mujeres necesitamos un hombre y te voy a decir una cosa —levantó la vista hacia las estrellas para cerciorarse del silencio universal—: cualquiera sirve. Cualquiera que te quiera, por supuesto. Nos pasamos toda la vida buscando algo especial, soñando con un ser superior, excepcional. No existe. Todos se parecen bastante. Se parecen en que tienen defectos, aunque los defectos varíen. A lo mejor no es justo llamarlos defectos, digamos cosas irritantes o cosas que simplemente no entiendes —suspiró y sus ojos volvieron a vagar por el cielo.

Lionel y Ben regresaron del observatorio. Ben no se volvió a sentar e hizo un gesto a Lilly; quería marcharse. Agradecieron la velada y se despidieron. Los Parker, entrelazados, esperaron en la puerta de su casa a que Ben y Lilly desaparecieran de su vista.

Lilly pensaba en cuanto le había dicho Lisa, no tanto por las palabras en sí mismas, sino por el telón de fondo que ofrecían a la vida cotidiana de Lisa, tan plegada a los gustos de su marido, tan opaca. Muy cerca ya del estudio, dijo Ben:

—Qué horrorosamente pesada es esa mujer. ¿Cómo puede figurarse que nos interesa su vida? Claro que estaba borracha.

El tono de las palabras de Ben, sobre todo el de la última frase, hirió profundamente a Lilly.

—Había bebido, pero no estaba borracha —replicó—. ¿Por qué eres tan despiadado con ella? Lisa se esfuerza en ser amable con nosotros.

—Hay mucha gente que se esfuerza, en ser amable o en cualquier otra cosa. Si tuviera que valorar los esfuerzos de todas las personas sería tan bueno como ellos, los Parker.

—Algo te sucede. Últimamente te enfadas sin motivo. Algo va mal entre nosotros.

Ben se volvió hacia Lilly, enfadado.

—¿Por qué te inventas historias? Es muy sencillo: los Parker me aburren. Has insistido en verles y les hemos visto, pero no puedes obligarme a que me gusten.

Habían llegado al estudio y Lilly dio por concluida la conversación. Sabía que Ben la seguiría hiriendo. Aunque él callara, ella leía ya en su interior, acaso más de lo que él mismo llegara a pensar. La felicidad de los primeros días se había quebrado. Pudiera ser que nada hubiera cambiado objetivamente y que Ben no se hubiera cansado de ella, pero Lilly exigía más. A partir de ese momento, no quedaba sino esa pregunta constante, esa duda.

Le costó dormirse aquella noche. Finalmente, desvelada, se levantó y salió del cuarto. Desde la ventana, contempló la ciudad. Sus pensamientos volaron hacia Lisa Parker y los sueños que había compartido con su hermana en su ciudad natal cuando todos los jóvenes de la ciudad las solicitaban. Sentía compasión hacia Lisa, que había buscado a un hombre del que enamorarse y que había concluido por adaptarse a él con resignación. No podía decirse que Lisa fuera desgraciada, ¿a qué había renunciado?, ¿había llegado a tener algo más que sueños alguna vez? Años atrás, Lilly había despreciado a las mujeres que no eran capaces de trazar su propio destino; no había compadecido su debilidad sino criticado su estupidez. Ahora ya no podía juzgar a Lisa Parker. Tampoco sentía una fuerte simpatía hacia ella, pero tenía miedo. Empezaba a faltarle algo: fe o ilusiones o confianza en la vida. Necesitaba algo o alguien en quien apoyarse. Ni su inteligencia ni su carácter decidido resultaban ya condiciones suficientes para la felicidad. Se reconocía, en el presente, más vulnerable que en la juventud. Sonrió al considerar esta palabra, porque tal y como había surgido en su mente —«juventud»— parecía algo muy lejano.

Recordó su conversación con Allan Rutherford cuando le habló por primera vez del viaje a Europa. «Estoy convencido de que verás algo distinto a lo que ve normalmente la gente cuanto viaja», había dicho. Allan había confiado en ella, no por lo que había hecho hasta entonces, sino por lo que podía hacer. Durante los primeros minutos de la entrevista, Allan se había dedicado a reñirla, aunque tranquila, serenamente. Echado hacia atrás en su butaca, mordisqueando su perenne puro habano, había dejado caer reproches como si fueran copos de nieve. Esperaba más de ella, dijo al fin y, bruscamente, enderezó su silla y apoyó los codos sobre la mesa. Echaba de menos el compromiso personal, la valentía. Todo eso —las fotos, las entrevistas, los reportajes— tenía que convertirse en arte. Tenía que transmitir una visión personal.

Pensar en Allan a esas horas de la madrugada supuso un alivio para Lilly, en cuya cabeza flotaban confusas ideas e impresiones y, sobre todo, conflictos. Desde el dormitorio, le llegaba el suave ronquido del sueño de Ben. Olvidaría a Ben en cuanto se marchara de allí. Siempre había olvidado a los hombres con rapidez. La tranquilidad invadió a Lilly. No obstante, cuando volvió al cuarto y se enfrentó con Ben dormido sintió que sus fuerzas flaqueaban. ¡Qué doloroso era el amor! No se podía reflexionar: la razón era dejada a un lado. Si supiera que Ben acabaría amándola, lo abandonaría todo: esa carrera de la que siempre se había enorgullecido y en la que Allan Rutherford creía. Ben se movió bajo las sábanas y murmuró algo. Parecía indefenso, como todas las personas cuando duermen.

11

Era un día soleado de otoño. Lilly acababa de llegar a Roma y todavía no había podido localizar a ninguna de las personas que planeaba ver. Después de varias llamadas telefónicas infructuosas, dio un paseo: vio viejos edificios, observó con curiosidad y una oleada de respeto los restos de la gloriosa antigüedad, admiró la elegancia de las mujeres y se detuvo frente a los escaparates. Cuando regresó al hotel, se sintió invadida de un cansancio profundo y, de repente, sin saber por qué, el cansancio se convirtió en un desánimo insoportable y se echó a llorar. Lloró ruidosa, desesperadamente. Se sintió sola y perdida en aquella hermosa ciudad, tan llena de historia y de belleza.

Mientras se servía una copa, recordó las palabras de Ben: «Bebes demasiado.» Era cierto. Por eso se compadecía de Lisa Parker y de tantas otras mujeres fracasadas que bebían. Lo tenía que reconocer en algún momento y lo hizo allí, en la espaciosa habitación del hotel de Roma, sin ganas ya de intentar localizar a las personas que podrían distraerla. Había bebido siempre, pero nadie se lo había llegado a decir con ese matiz de acusación con que lo había dicho Ben. Después de un par de tragos, se sintió mejor, con la seguridad que da el alcohol y que

Lilly comprendió que le era absolutamente necesaria. Sobre el aparador estaba todo su material de trabajo. Allí se encerraba cuanto había visto. Pero sus más profundas impresiones no estaban anotadas ni reflejadas en ninguna parte. No podía penetrar en la realidad que observaba. Necesitaba un hilo que ligase las escenas que había recogido. Se sentía incapaz de comprender el último sentido de las escenas, las palabras que habían llegado hasta ella. La realidad la desbordaba; la hallaba indescifrable. ¿Acaso no sabía ya todo eso? ¿Qué había esperado descubrir en Europa? En Hollywood había estado siempre atareada, luchando por afianzar su prestigio. En Hollywood la realidad la constituía su profesión y las amistades que la profesión proporcionaba, incluidos los amoríos. Fuera de Hollywood, estaba el mundo. Siempre le había parecido abarcable: podía hacerse con él un reportaje. Ahora no tenía entre sus manos un reportaje; sólo datos inconexos y desalentadores.

No obstante, algo en su interior le decía que de esos datos, de esas impresiones, surgiría una coherencia inesperada, porque era su propia visión la que acabaría imponiéndose. Existía un hilo conductor que la había llevado por las diferentes ciudades y países y ese hilo conductor era algo ajeno a las cosas, estaba dentro de sí misma. En realidad, era el hilo de su propia desilusión. Su objetivo había sido realizar un reportaje, pero se había encontrado algo más. Había tenido miedo a fallar, había dudado de sí misma. Todavía dudaba de ser capaz de realizar su cometido y, aunque ya no lo consideraba imprescindible —no se trataba sino de decir a Allan: «no he podido hacerlo»—, le asustaba el vacío.

Consiguió mantener la calma mientras duraron las entrevistas. El vértigo tras el que se vislumbraba la parálisis y el abandono fue dominado. Pero la situación se repitió el mismo día en que la última persona importante de su lista fue entrevistada, y Lilly volvió a asustarse. A pesar de que bebió más de lo acostumbrado para apagar su ansiedad, no pudo reprimir las lágrimas. Cayó al fondo de un pozo. Trató de analizar la situación, pero no encontraba razones que explicaran aquel derrumbamiento. Reprodujo su viaje desde el mismo día de su llegada a París. No se podía decir que las cosas hubieran salido mal. Había conocido a gente interesante, había anotado diversas interpretaciones sobre la historia, el arte, la cultura. Había tenido éxito; siempre había sido bien recibida. ¿Qué era lo que había fallado? Pensó en Ben: en Granada se había sentido enamorada de él y había leído en sus ojos que su amor no sería correspondido. Había huido de eso. De un fracaso. Pero, ¿amaba a Ben ahora? Su desolación era más profunda. Se sentía sola y desdichada, desinteresada del trabajo que debía llevar a cabo, sin recursos.

Sobre la mesilla de noche estaba el libro que le había enviado Friederich Maag, aquella antología de poesía alemana. Lo abrió y se asomó a sus páginas. El lenguaje de la poesía siempre le había parecido hermético; no veía en ella sino una rara disposición de palabras bellas. Tampoco la entendió en aquella ocasión, aunque vislumbró un mundo de categorías solemnes que podía constituir un refugio. En la primera página del libro, la letra clara de Friederich Maag había escrito unas palabras corteses, agradecidas. Aquel libro y aquellas palabras fueron como el brocal de un pozo: Lilly se aferró a la idea de Friederich Maag. Tomó una tarjeta y le escribió unas líneas. Llamó a la camarera y pidió que la carta saliera urgentemente.

Era, sobre todo, un acto simbólico. Escribir a aquel hombre silencioso y grave fue como volver al salón del hotel de San Sebastián antes de que irrumpiera la doncella dando gritos. La lluvia fina en el exterior y el rumor de la conversación que sostenían los Maag en el salón vacío emergieron como algo mágico en el interior de Lilly. Si había algo que quería contar, era eso. El misterio de aquella conversación que no podía entender, el probable mensaje del padre al hijo. Cuando la camarera desapareció con la carta dirigida a Friederich Maag en su poder, Lilly se sintió aliviada.

Había pensado algunas veces en los Maag. Le estremecían aquellas niñas rubias, vestidas con impecables trajes de verano, siempre acompañadas por la doncella. La idea de que su madre hubiera muerto lejos del hogar, en un lugar al que habían acudido a descansar, a distraerse, no sería fácil de olvidar. Tras enviar la carta, aquel destino quedaba un poco ligado al suyo y por esa razón podía considerar su vida con más calma, con mayor relativismo. A partir de ese momento, aguardaba a medias la respuesta de Friederich Maag. Unas veces, se complacía en pensar que la carta no alcanzaría su objetivo en el momento oportuno y que no iba a darse un encuentro que ambos deseaban. En otros momentos, confiaba en una inmediata respuesta. Ambos extremos le procuraban alivio. Empezaba a considerar el malestar de los días pasados como una crisis natural, sin profundizar en el oscuro e ilimitado sentido de ambas palabras.

12

Lilly regresaba de la calle cuando, al cruzar el vestíbulo del hotel en dirección al ascensor, vio al conserje que se acercaba hacia ella.

—Un señor la ha estado llamando toda la tarde. Ha dejado un teléfono para que le llame usted en cuanto llegara. Dice que es urgente.

Tomó la tarjeta que le tendía el conserje y la leyó en el ascensor: «Acabo de recibir la mejor noticia que podía imaginar. Tengo que ir a Roma la semana que viene, ¿estará usted todavía? Por favor, llámeme y siga dándome buenas noticias. Suyo, Friederich Maag.»

En la habitación, Lilly volvió a leer la nota. Le dio un ataque de risa nerviosa. Friederich Maag, a quien apenas conocía, había dictado esas palabras apresuradas, casi apasionadas: la urgencia que desprendían se correspondía con los días de angustia que había vivido. Cuando se calmó, pidió la conferencia. Al cabo de un rato de espera, la voz de Friederich Maag surgió al otro lado del hilo telefónico.

—La estaba esperando —dijo—. No puede imaginarse qué alegría me causó su nota. ¿Estará en Roma la semana que viene? Tengo que hacerle una proposición, quiero que nos visite. Queremos que sea nuestra invitada durante unos días. Tengo que ir a Roma y quiero que se vuelva conmigo aquí.

Lilly intentó replicar, pero Friederich y su peculiar voz seguían abriendo un horizonte: los Maag poseían una casa a la orilla del lago de Como. Tenía que conocer esa región, ¿no le había dicho alguna vez que estaba recorriendo los lugares más hermosos de Europa?

Lilly no recordaba haber hablado de su viaje con Friederich Maag, pero se dejó envolver en su hablar pausado y su acento fuerte. Cuando colgó el auricular se dio cuenta de que se había comprometido a esperarle, de que casi había aceptado aquella invitación. ¿Cómo se explicaba aquel interés de Friederich Maag y el suyo propio? Lo que sabía de él estaba velado por las circunstancias trágicas en que lo había conocido. En aquel momento, sin embargo, parecían haberse evaporado. Todos sus recuerdos quedaron muy atrás, como si hubiera pasado por ellos una tempestad. El hombre que se presentía detrás de aquella breve conversación telefónica era muy distinto al de la imagen que había guardado su memoria. Era una persona con prisa. Lilly decidió abandonarse a aquella prisa.

13

Friederich Maag, en cuanto decidía abrir su corazón, se convertía en el ser más extrovertido de la tierra. No era su costumbre serlo; normalmente, era reservado y trataba a la gente con cierto menosprecio. Los Maag habían sido una familia tradicionalmente rica que había mantenido su noble reputación a pesar de que hacía tiempo que no se anotaban saldos favorables en sus libros de cuentas. Friederich era consejero de varias empresas y si se valoraba su opinión era en función de sus excepcionales dotes de hombre de mundo. Sus conocimientos abarcaban las más variadas materias. Entendía de economía y cuestiones laborales, hablaba con comprensión de las inquietudes de los inconformistas y divagaba con brillantez sobre las más elevadas manifestaciones artísticas. Se confiaba en su inteligencia como si fuese una reserva de sensatez para toda la humanidad. Sobre tales opiniones se había levantado su vanidad y de ellas nacían también sus impetuosas necesidades de triunfo social. Si había algo que verdaderamente satisfaciera a Friederich Maag era la conquista de una mujer. Le gustaban las mujeres hermosas, inteligentes o difíciles. Por medio de su conquista demostraba al mundo que hasta lo más oscuro, lo más irracional y sin duda lo más sugerente que había creado la naturaleza, se le rendía.

Se había casado con Nadia cuando ambos eran muy jóvenes. Al principio, el matrimonio había sido feliz, aunque Friederich apenas se ocupaba de su esposa ni del primogénito. Nadia era dichosa con el niño. Luego, su salud empeoró y por dos veces consecutivas sus embarazos se frustraron. Soportó con resignación el dolor y jamás se la oyó hacer un reproche a su marido, cuya vida social era cada vez más intensa. Desgraciadamente, hasta los oídos de Nadia llegaron los rumores de los constantes devaneos de Friederich. Nadia nunca preguntó, pero su vida se fue apagando. Friederich, cuando estaba con ella, la trataba bien. Ella se ejercitó en aceptar cuanto le era dado. Quiso tener más hijos y los tuvo. Algunas veces, a pesar de la debilidad y del abandono en que la tenía Friederich, se sentía feliz. Pedía bien poco a la vida y la vida fue avara con ella.

La muerte de Nadia apenas introdujo variaciones en la vida de Friederich, del mismo modo que el matrimonio tampoco había alterado sustancialmente sus costumbres. Decidió trasladarse a la residencia de Como para evitar el desfile de personas que acudían a la casa a expresar sus condolencias. El joven Heinrich fue instalado en casa de unos parientes; aquel año empezaba sus estudios. La educación de las niñas se proseguiría en Como.

La breve carta de Lillian Skalnick llegó en el momento oportuno. Friederich, que tenía el proyecto de ir a Roma, adelantó el viaje. Había decidido enamorarse de Lillian. Por los americanos que conocía, sabía que suelen aceptar invitaciones; nada más normal para ellos que pasar unos días en casa de una persona que sólo conocen ligeramente. La carta de Lilly le había sorprendido; había advertido en ella una nota de ansiedad que le inquietó e interesó. Aquella mujer pedía algo. Le gustaban las mujeres que saben pedir lo que necesitan. Durante años, había convivido con una mujer que había renunciarlo a hacerlo.

Friederich confesó a Lillian su amor la primera noche de su encuentro en Roma. Lilly necesitaba los cuidados que presentía en los gestos y miradas de Friederich, en la seguridad con que la conducía entre las mesas del restaurante, en su fácil relación con el mundo. Aceptó la invitación: iría a Como y pasarían unos días juntos. La proposición era sumamente directa y precisamente su carácter de verdad desnuda era lo que atraía a Lilly. Había algo, sin embargo, en lo que no podía dejar de pensar: la frágil figura de la señora Maag camino de la playa. Su imagen flotaba por encima de las susurrantes palabras de Friederich. ¿Qué significado había tenido para él? Intuía que su recuerdo se había desvanecido. Al fin, se decidió a hablar de ella. La cara de Friederich se ensombreció. Declaró que había amado a su mujer, pero que nunca había existido entre ellos el entendimiento. No había sido una relación de igual a igual, por doloroso que fuera reconocerlo. Friederich se expresaba con preocupación, como si aquel lejano enigma todavía le intrigara un poco, aunque hubiera decidido no dedicar ya mucho tiempo a intentar resolverlo.

Una mezcla de atracción y repulsa se formó en el interior de Lilly. Sobre ella venció la curiosidad. En el tren hacia Como, Friederich tomó la mano de Lilly. A partir de ese instante, su personalidad de transformó. El amor había dado paso al deseo. Lilly, que no sentía hacia Friederich la atracción que todavía le inclinaba hacia Ben, observaba a su nuevo amante con distanciamiento. Friederich era como una llama que pretendiera abrasarla. Ella quería sentir calor. Partía de un punto lejano y disfrutaba con los detalles de la observación. Estaba en una situación de superioridad; había perdido el control en su relación con Ben y, ante la perspectiva de una nueva aventura, hallaba un refugio natural en el escepticismo.

14

La casa que poseían los Magg en Como había sido levantada en otro siglo. El padre de Friederich había tratado de imprimir en sus habitaciones el sabor de una época gloriosa. Pero el dinero había fallado y la decoración no lograba transmitir la sensación de esplendor. Todo se había deteriorado antes de tiempo. La casa, oscura y mal iluminada, estaba llena de largos corredores y de pequeños cuartos con pretensiones de salones. Friederich presentó a Lilly al ama de llaves y delegó en ella las labores del anfitrión. Las hijas de Friederich, a quienes Lilly había evocado en tantas ocasiones, sonrieron tímidamente. Parecían oprimidas por el aire de la casa.

Lilly experimentó de golpe la necesidad de tirar todos aquellos muebles y objetos por la ventana, pero más tarde observó que Friederich no sentía ningún rechazo hacia ellos. Sobre las mesas había retratos de viejos miembros de la familia y Friederich los mostró a Lilly con satisfacción. Sus ojos miraban complacidos a su alrededor, como si viera algo más que la materia, como si el espíritu de sus antepasados hubiera penetrado en ella y se hubiera convertido en su esencia.

La única impresión alentadora de aquel primer día en Como la proporcionó la doncella que ayudó a Lilly a disponer la ropa en los armarios. Se movía por el cuarto con pasos ligeros y parecía que en cualquier momento fuera a echarse a volar. Sus ojos, grandes y azules, expresaban una infinita confianza en las bondades de la vida. Trajo unos jarrones con flores y la habitación se transformó. Aunque Lilly no entendía lo que decía, se sintió comprendida por ella. Tras dejar el último jarrón sobre una mesa, hizo un gesto que abarcaba el cuarto y sonrió. Su rostro se iluminó, como si confiara a aquellas flores la difícil misión de borrar la atmósfera triste de la casa.

15

La vida en casa de los Magg tenía un ritmo fijo. Por las mañanas, las niñas daban clase con la institutriz mientras Friederich, en su despacho, recibía visitas, sostenía conversaciones telefónicas, leía el periódico y escribía cartas. Lilly vagaba por la casa y el jardín hasta que Friederich salía de su encierro y proponía un paseo. Algunas veces invitaban a las niñas a acompañarles. A Lilly le agradaba que fueran con ellos. Percibía la curiosidad que había detrás de su recelo porque había pasado por una experiencia parecida cuando su padre le había presentado a Hélène.

A última hora de la tarde, se organizaba una tertulia. En Como, Friederich Maag era aún más solicitado que en Bonn. Como a excepción del médico y del propio Friederich ninguno de los contertulios dominaba el inglés, Lilly se aburría. Friederich se esforzaba por incorporarla a la conversación, traduciéndole de vez en cuando cuanto se debatía, pero, al final, Lilly optaba por retirarse.

Todas las miradas, roces, palabras que se sucedían entre ellos durante el día, culminaban por las noches. Friederich era un amante escrupuloso. Sabía lo importante que era dejar a las mujeres convencidas de su poder de atracción. Pero carecía de la naturalidad de Ben. Para él, el acto de amor era algo artificioso y oscuro. El día se llevaba toda aquella agitada y tortuosa vivencia del amor. El aire fresco, las suaves tonalidades del campo, el brillo de la superficie ondulada del agua, el ritmo tranquilo de las horas, volvían a envolver a Lilly cada mañana. El mundo de Friederich: su casa, su familia, sus amistades, era como un torrente que se derramaba sobre ella con el objeto de retenerla. Lilly se dejaba llevar. No le gustaba la casa, pero sí el paisaje que la rodeaba. No compartía muchas cosas con Friederich, pero todavía buscaba más apoyo. Estaba atrapada en una atmósfera que, siéndole ajena y misteriosa, parecía esforzarse por serle favorable. El doctor Pfeiffer se permitía opinar sobre el futuro de Lilly: le recomendaba que aceptase la petición de compromiso que, según sus predicciones, Friederich iba a exponerle de un momento a otro. Aquella familia necesitaba una mujer. La pobre Nadia no había sido capaz de ejercer autoridad. A pesar de la compasión que el doctor Pfeiffer había sentido hacia la difunta señora Maag, no dejaba de declarar que Friederich necesitaba una mujer de más carácter y de más salud. Una mujer emprendedora, inteligente y sensual, llegó a decir.

En el fondo de las impresiones que Lilly iba reuniendo dormitaba una idea inquietante: la de estar siendo minuciosamente examinada por sus semejantes para obtener un puesto en la sociedad. Ella no había pedido ese puesto e incluso había batallado por conseguir el que ya tenía, pero en aquel entorno no parecía ser objeto de consideración. Lilly estaba siendo tasada en función de su físico y de su personalidad y no se tenían en cuenta sus realizaciones, que nadie conocía. Por el contrario, para ella, cuanto era y cuanto podía reconocer estaba en lo que había logrado. El resto eran categorías abstractas e imprecisas. Había sido educada para luchar y competir y no le escandalizaba que las personas fueran valoradas por los resultados de sus esfuerzos. Otra cosa muy distinta era intentar calibrar el valor íntimo de las personas. No se sentía con ese derecho ni se lo concedía a los demás.

Friederich escribió a su hijo instándole a que se reuniera con ellos. Quería reunir a toda la familia en torno a Lilly. Se lo comunicó sucintamente a Lilly, sin prepararla para aquel encuentro, del mismo modo que tampoco le había hablado de las niñas antes de su llegada a Como.

Heinrich llegó a la caída de la tarde. Friederich lo fue a recoger a la estación. Lilly hizo su aparición algo más tarde, cuando todos estaban reunidos en el salón. Lo divisó en seguida: sostenía en su mano la taza de té mientras hablaba con vehemencia, los ojos fijos en los de su padre. Aquel era el joven cuya memoria ella había guardado tan celosamente. Un temblor recorrió su cuerpo mientras se acercaba hacia él; sabía que sería examinada de nuevo y que una nueva sentencia sería emitida. Temía la intransigencia de los jóvenes porque se sentía cercana a ella. Heinrich volvió la cara hacia Lilly e, inmediatamente, se puso en pie. La saludó con cortesía. Todos volvieron a sentarse. La conversación se reanudó y aunque Margie, la mayor, inició unas frases en inglés, nadie la siguió, ni siquiera su padre que les había pedido días atrás que en presencia de Lillian no se hablara otra cosa que inglés. Heinrich estaba hablando en alemán.

Desde su butaca, Lilly observó al muchacho. Físicamente, era una mezcla de Nadia y de Friederich. Su cara tenía los rasgos delicados de su padre y la espiritualidad de Nadia, que Lilly había observado en sus retratos. Pero la tristeza y renuncia que se leía en el rostro de la madre había sido sustituida por una aguda incertidumbre de la que habría de salir. Había resolución en esa cara, una fuerza más espiritual que en la de su padre.

—Me ha dicho Heinrich que le gustas mucho —dijo Friederich a Lilly en uno de sus paseos—. Lo que tengo que evitar es que se enamore de ti —sonrió rápidamente—. Está en una edad muy difícil. Estaba muy unido a su madre. Los dos disfrutaban con las mismas cosas. A veces temo no poderle entender.

Miró a Lilly y toda preocupación desapareció de sus ojos. Tomó su mano entre las suyas.

—He estado esperando a que él viniera para decírtelo —susurró—. Quería que te conociera. Ya sabes lo que quiero decirte. Quiero que te cases conmigo.

Lilly conocía aquellas palabras. Las había escuchado varias veces en su interior y no podían sorprenderla. Fijó sus ojos en el paisaje que tenía delante de sí. Era mediodía. El cielo tenía un color azul pastel, el sol dominaba la tierra. ¿Debía el resto de su vida desenvolverse allí? Volvió la mirada hacia Friederich.

—No puedo cambiar de vida de una forma tan radical —dijo.

—Yo respondo de tu felicidad —repuso Friederich.

Estaba convencido de lo que decía. Hablaba con la seguridad que le habían conferido tantas noches de placer. ¿Es que la felicidad podía reducirse a eso? ¿Qué era la felicidad? Lilly no contestó. Sus pensamientos estaban ya lejos de aquel momento, lejos de toda respuesta.

16

Después de abandonar Como, Lilly tomó algunas decisiones. No pensaba prolongar su viaje mucho más tiempo. En la revista no le habían marcado un itinerario. Lilly podía ordenar ya su material y se sentía dispuesta a hacerlo. Sólo había una ciudad que había quedado atrás y a la que se dirigió antes de emprender el regreso: Venecia. Esta ciudad romántica, en la que los viajeros se sienten remotos protagonistas de sueños perdidos, fue para Lilly, más que un escenario histórico y decadente, un lugar para analizar sus recuerdos. Antes de su encuentro con Friederich Maag, se había sentido atrapada entre el fracaso y el vacío. Ahora comprendía que esas no eran las categorías determinantes de la vida. La vida se imponía, tenía valor en sí misma, en sus vaivenes y reflujos. El amor de Friederich Maag había cumplido su cometido. Lilly podía hacerse cargo del dolor y el fracaso de los demás.

No había sido fácil reaccionar a la proposición de Friederich, quien se había comportado con inesperado patetismo. El final había sido frío y amargo. Friederich había empezado a expresarse en alemán; su tono de desesperación y la longitud de las frases hicieron sentir a Lilly que se estaba portando cruelmente con él. La hostilidad se apoderó de la casa. Las niñas ni siquiera la despidieron. Lilly escrutó en el rostro de Heinrich; absurdamente, buscaba en él algún apoyo. Sólo Gretzel, la doncella, mantuvo un fondo de simpatía en el azul transparente de sus ojos. Una vez instalada en el vagón del tren, al contemplar la figura taciturna de Friederich en el andén, se sintió como todo el mundo la consideraba: huía de algo y se llevaba algo. Cuando la ciudad desapareció a sus espaldas, una sensación de alivio la invadió. Finalmente, no huía sino de sus propias pesadillas. Las últimas horas vividas en casa de los Maag habían sido oscuras e intrincadas como un laberinto. Friederich había desplegado todos los estados de ánimo posibles; de la súplica pasaba a la amenaza para volver en seguida a la más exacerbada autohumillación. Lilly trataba de explicar que ella era ajena a los extremos que provocaba en él, pero Friederich no podía escucharla. Como todo amante desesperado, creía que bastaba con que ella sintiera profundamente todo su amor para que se produjera el milagro. No creer en él era como no creer en sí mismo. Lejos ya de Friederich, Lilly podía admitir que el equívoco sobre el que se había edificado su relación con Friederich había acabado por devorarla: Friederich se había instalado sobre su debilidad. Huir de él había sido huir del horror que le inspiraba haber dejado su debilidad en manos de Friederich.

Lilly miró hacia atrás y se asombró de que el amor o la persecución del amor hubiera ocupado tanto lugar en su vida sin que ella se hubiera dado cuenta. Evocó el año que convivió con Stephen y el dolor que le había causado la separación. Stephen, unos meses después, le había propuesto que volvieran a vivir juntos, pero ella se había negado. Había tomado una decisión y no se volvió atrás. ¡Cuánto había cambiado desde entonces! Sus ideas, sus proyectos, no eran tan claros como a los veinte años. Antes, creía saber lo que buscaba. Ahora, se sentía perdida y seguía adelante, un poco a ciegas, sin darse por vencida y sin saber contra qué y por qué luchaba. Los fugaces amoríos de aquella época apenas habían dejado huella. Desde su separación de Stephen había vivido el amor como algo accesorio. Se había propuesto triunfar y había luchado porque su trabajo fuera reconocido. Aquel viaje era su primer trabajo importante, el que más confianza suponía en su inteligencia y en sus fuerzas. Lejos de todo apoyo, había buscado refugio en el amor. Había ido de espejismo en espejismo e intuía que todavía habría más vueltas equivocadas en el camino que le aguardaba. Empezaba a conocer que, más allá del triunfo o del amor, su destino era simple y profundamente el destino de todo ser humano. No una carrera o una vida brillante, sino conocerse.

Reconocer estos vaivenes de su personalidad le hizo sentirse generosa y benevolente y pudo contemplar su trabajo como algo incompleto y poco trascendente, pero algo que, al fin, podía hacer. Tanto desgaste sentimental la había dejado preparada para concentrarse. Cuando regresaba de entrevistar a una persona, trabajaba en la habitación del hotel. Se encontraba bien en el hotel, encariñada ya con esos espacios circunstanciales y el mundo transitorio que habita en ellos: los otros viajeros, los camareros, conserjes, mujeres de la limpieza. Lo que la hermosa ciudad de Venecia dio a Lilly fue la sensación de que ella, aun sin adentrarse mucho entre sus calles y canales, sin llegar a conocerla como otros turistas, era también parte de esa población inquieta, trashumante, que recorre el mundo como otras personas, ella misma, recorrían la vida.

17

De paso por París, antes de abandonar Europa, Lilly sintió deseos de ver a Ben. Todavía no podía calibrar sus sentimientos y quería saber de qué forma tenía que olvidarlo. No lo encontró en su casa y llamó a uno de sus amigos. Ben no estaba en París. Seguía en Granada. Se iba a quedar allí. Pensaba trasladar a Granada su negocio de antigüedades.

—Ya sabes cómo es —decía la voz del amigo—. Buscaba un lugar ideal en el que vivir. Parece que lo ha encontrado.

Lilly preguntó por Jean-Paul. Estaba en Burdeos. No se sabía qué hacía allí. Lilly se calló. ¿De qué servía contar a una persona a la que nada le ligaba sus conversaciones con Michel Clement y sorprenderse con ella de la duración del empleo de Jean-Paul?

Algo se cerraba a sus espaldas. Las personas que, meses atrás, estaban con ella en París habían encontrado, mientras Lilly vagaba por ciudades desconocidas, algo de lo que habían buscado. Sentía cierta envidia hacia Ben y sabía ya que sus caminos no coincidirían. Lilly se llevaba de Europa un conjunto de impresiones desordenadas. Había hallado, también, una parte de sí misma, la más débil, que hasta el momento había permanecido oculta. Mientras doblaba la ropa para guardarla en la maleta, recordó aquel mediodía en que se había probado todos los trajes en busca de algo con lo que gustar a Ben. Pensó que, si en aquel momento recibiera una llamada o tuviera una cita, acudiría tal como se encontraba. No se sentía más segura. O esperaba menos o sabía ya que las cosas se obtienen de forma más azarosa.

18

En el camino de regreso, Lilly había pensado que, de nuevo instalada en su casa, llamaría a su padre y le contaría sus impresiones. En aquella ocasión, tampoco había llegado a conocer el país que John Skalnick había abandonado para abrirse un camino en la vida. Se sentía unida a él en la nostalgia de lo que queda atrás. Se dijo que llamaría a Hélène aunque sólo fuera para decirle que no había podido hablar con René. Le había enviado una nota desde el hotel de Burdeos. Tenía ganas de estar ya en su casa, rodeada de todo lo que conocía. De trabajar, escribir y volver a enfrentarse con el mundo desde la nueva visión y las nuevas emociones que se habían formado en su interior.

Sin embargo, durante muchos días no llamó a nadie. Se dedicó a escribir. Antes de presentarse ante el director de la revista, pensó en Allan Rutherford. Lo llamó como se llama a una persona que puede resolver un problema importante. Lilly no sabía muy bien qué iba a decirle, pero durante todo el viaje había estado luchando contra la confusión y el caos y necesitaba ver a una persona que intuyera el sentido de aquella lucha.

Al otro lado del hilo telefónico, una mujer le informó que Allan Rutherford estaba enfermo y que no se ponía al teléfono. Sin embargo, una lejana y ronca voz de hombre hizo detener los argumentos de la mujer, quien se despidió y anunció al señor Rutherford.

Allan no dijo muchas cosas en aquel momento. Simplemente instó a Lilly a que fuera a visitarlo. No quiso decir nada sobre sí mismo. Luego hablarían.

Caía la tarde cuando Lilly detuvo su coche frente a la casa de Allan. Era una casa de madera oscura, con grandes ventanales. Estaba situada en una colina y se llegaba a ella por una estrecha carretera empinada, llena de curvas. Desde sus ventanas, se contemplaba una hermosa vista: el mar infinito y las otras casas y jardines que salpicaban la colina. Algo decía que la satisfacción y la prosperidad que se disfrutaban en el terreno privado y acotado de la casa y el jardín no se podían transmitir sin peligro. No había otro cimiento que el esfuerzo personal y ese principio daba a todo el panorama el tono de melancolía que impregna los esfuerzos humanos.

Allan Rutherford estaba sentado en una hamaca y miraba hacia el ventanal. Estaba rodeado de plantas, de libros, de papeles. En la amplia sala de estar, los muebles y los objetos parecían haberse ido disponiendo según sus propias necesidades, a lo largo de muchos más años de los que la casa podía tener.

Inspiraban la idea de comodidad y gusto por las cosas, por la vida.

Allan hizo un gesto a Lilly y le sonrió levemente. Nunca sonreía del todo. Lilly había llevado una carpeta con algunos de sus reportajes. La dejó sobre una mesa y se olvidó de ella. No hacía falta escrutar en el rostro de Allan: estaba muy enfermo y lo sabía. Después de saludarse, se quedaron callados, con el peso de esa verdad entre ellos. Luego hablaron de todas las cosas de las que le gustaba hablar a Allan: analizaba el mundo en el que vivía —un mundo de cámaras de fotos, de cine, de celuloide, habitaciones oscuras, decorados: esa frágil ficción en la que creía como si fuera lo más coherente que pudiera ofrecer a sus semejantes— con un ingenio febril, sabiéndose demasiado ambicioso como para convertir fácilmente en éxito sus proyectos.

Lilly, mientras le escuchaba, observando las arrugas que se habían grabado en su rostro, conoció de golpe que sufría, no por la muerte que le esperaba, sino por no haber podido alcanzar sus sueños. La obra de arte se le había escapado de entre los dedos como el agua que se coge de la fuente.

Lilly no sintió compasión por él, por la soledad o el fracaso de su vida o por la vecindad de la muerte. Allan, con expresión de fatiga, miraba el atardecer. Un color rosado se había extendido por el cielo, tiñendo las nubes que cubrían parcialmente el sol. El mar reflejaba aquellos colores en su superficie brillante. Lilly se despidió.

De regreso a su casa, fue recreándose en las luces cambiantes que envolvían las casas, los árboles, la línea oscura de la carretera, como si ese fuera el mensaje que los ojos cansados de Allan hubieran querido transmitirle silenciosamente. Imaginó que Allan todavía contemplaría el horizonte sin hacer a la vida otro reproche que el de ser demasiado hermosa.

COLECCIÓN AUSTRAL
CONTEMPORÁNEOS

Títulos publicados

Camilo José CELA: *Esas nubes que pasan*
Gabriel GARCÍA MÁRQUEZ: *El otoño del patriarca*
Juan GARCÍA HORTELANO: *Tormenta de verano*
Graham GREENE: *El revés de la trama*
Pedro LAÍN ENTRALGO: *Cuerpo y alma*
Carmen MARTÍN GAITE: *Desde la ventana*
Luis MATEO DÍEZ: *La fuente de la edad*
Eduardo MENDOZA: *La verdad sobre el caso Savolta*
Alberto MORAVIA: *La Romana*
Iris MURDOCH: *Bajo la red*
Soledad PUÉRTOLAS: *Burdeos*
Fernando SAVATER: *Ensayo sobre Cioran*

Autores de próxima aparición

Eduardo ALONSO
Fernando ARRABAL
Félix de AZÚA
Giorgio BASSANI
Isaiah BERLÍN
Victoria CAMPS
Jesús FERRERO
Antonio GALA
Nadine GORDIMER
Patricia HIGHSMITH
Giuseppe Tomasi di LAMPEDUSA
Antonio MUÑOZ MOLINA
Jean François REVEL
Augusto ROA BASTOS
Manuel TUÑÓN DE LARA